野球観察日記

スタジアムの二階席から

南　郁夫／著
Yasutomo／写真

はじめに

神戸の中心・三宮から地下鉄で約20分の緑豊かな公園内に、そのスタジアムはあります。1991年から15年ほどオリックス・ブルーウェーブの本拠地として使用された、「グリーンスタジアム神戸」。紆余曲折を経て今は違う名称で呼ばれていますが、私にとっては、永遠にグリーンスタジアム神戸です。

90年代に神戸市在住の30代だった私は、この天然芝の美しいこじんまりした球場に「一目惚れ」。馴染みの喫茶店みたいに通い詰め、イチローの躍動や震災に沈む神戸を救った奇跡の優勝、その後の長い低迷や球団合併（とほほ）などなど、いろんなことを「景色」のようにスタンドから眺めてきました。まさに、私の居場所です。

この球場でむやみに打ち上がる花火を「何発見た」のか、恐ろしくて数える気にもなりません。なぜかずっと変わらない花火の種類と順番をすっかり覚えてしまったので、花火が上がる五回裏終了のたびに記憶の時系列が錯綜し、時空のループにハマり込んだような妙な気分になります。

駐車場完備で車で行っても快適なこの球場は、神戸の野球ファンにとっていつでも気楽にのんびり過ごせるオアシスでした。まさかチーム名や本拠地が変わるなどと夢にも思わなかった90年代、野球は本当に身近にありました。いっそ、球場裏にある住宅地に引っ越そうと本気で思っていました。早まらないでよかったです。

2001年ごろから、この球場での観戦の様子を、SNSなどまだ影も形もなかったネット上でずうっと発信してきました。そう。イチローもいなくなって背番号に斜体がかかっていた、あのころです。チーム成績が悪いにも関わらず、私の「とほほ」コラムは一部で好評を博し、ご縁があって現在は神戸のウェブマガジン「K!SPO（ケースポ）」で「野球観察日記」という枠を持たせていただき、オリックスの取材やインタビューを担当しています。

この本は、グリーンスタジアム神戸で当たり前に野球をやっていた、あのころの雰囲気をお伝えする過去観戦コラム、往年の関西パ・リーグに関するコラムや「K!SPO」記者としてオリックスの主力選手やレジェンド、チームを支える人たちへのインタビュー集などで構成されています。

私にとって野球は、宿命的な観察対象です。ファーブルが昆虫を見ないわけにはいかないように。示された結果は全て受け容れますし、実は勝敗や数字、技術的なことにはさほど興味がありません。内野手のボール回しを眺めているだけで幸福になれる、情緒的ファンなのです。したがって「絶対勝つぞ」的なチーム応援本ではないことは、お断りしておきます。その分、幅広く野球ファンに楽しんでいただければと思います。

テレビで見る野球は、あくまで動画コンテンツ。現実の野球は、球場に足を運んで自らの五感で感じないとわかりません。「あぁ、球場に行きたくなったなあ」とこの本を読んで思っていただければ、これ以上の幸福はないです。

目次

はじめに

第1部　コラム集　神戸からの野球便り

グリーンスタジアムの日々

グリーンスタジアムに、行こ！……12
ファールボール……16
震災とブルーウェーブの奇跡……19
イチローは遠くにありて思ふもの……25
マンデー・パ・リーグの模範演技……28
雨中の代打逆転満塁ホームラン……33
とほほ、ブルーウェーブ暗黒時代……38
ある日突然に。ブルーウェーブ消滅……45
平成最後のグリーンスタジアム……49

パ・リーグの旅

西宮球場のあったころ……54
走れ走れ福本……60
藤井寺歴史探訪……68
噂の悪ガキ・ノリと松坂……75
潜入！ダイエー福岡店……79
KANSAI CLASSIC……86

野球観察日記

二階席のボールハンター……92
野球場の人びと……97
あじさいスタジアム不完全試合……108
鳴尾浜旅情……113
舞洲観光案内……118

第2部　インタビュー集　あの人を直撃！

チームを支える人たち

二軍監督　田口 壮さん……128
一軍チーフマネージャー　佐藤 広さん……138
打撃投手　山田 真実さん……146
ブルペン担当　別府 修作さん……157
広報担当　仁藤 拓馬さん……164
ボイス・ナビゲーター　神戸 佑輔さん……172
通訳　荒木 陽平さん……177
広報担当　佐藤 達也さん……184
二軍投手コーチ　岸田 護さん……189

憧れの選手にインタビュー！
安達 了一選手 …… 196
T―岡田選手 …… 202
山岡 泰輔投手 …… 209
スペシャルインタビュー
マック鈴木さん …… 218
おわりに

第1部　コラム集

神戸からの野球便り

グリーンスタジアムの日々

グリーンスタジアムに、行こ！

グリーンスタジアム神戸への思いを込めた、ラブレター。２０１６年、Ｋ！ＳＰＯが創設されたころに寄稿したもの。いきなり告白していますが、私はグリーンスタジアム神戸のファンなわけです。なので、２０２１年現在の私がどんな思いでいるのか、おわかりいただけるでしょう。もちろんオリックスは応援していますが、年間数試合とはいえ「グリーンスタジアムで試合をしているから」です。将来、驚愕の球界再編が起こって違うチームがこの球場を本拠地にしたら…？ 即答できますが、しないでおきましょう。

その野球場に、到着する。試合開始の1時間以上も前である。おなじみの外観と照明塔が見えてきただけで「大のオトナが」すっかり落ち着きを失っている。入場ゲートのスロープを「別に急いでませんけど？」な不自然な顔で駆け上がり、最後は息を踊らせて場内に足を踏み入れる。その瞬間に両眼に飛び込んでくる、「グリーンの衝撃」。何度味わっても、この瞬間がたまらない。

その野球場の内部は、美しい天然芝が敷き詰められた「公園」。まさに、ボールパークなのだ。

青空と芝生と土の、コントラスト。わずかに須磨の潮の香りが混じった緑の風が、Tシャツの袖をくぐり抜けていく。そして。芝生の上には練習中のプロ野球選手たち。彼らはまるで夏休みの少年のようにボールをかっ飛ばし、子犬がじゃれあうようにくすくす笑いながら、キャッチボールをする。試合前のこんな平和な光景が、大好きだ。

「ここは天国か？」シューレス・ジョーなら聞くだろう。とうもろこし畑では、ないけどね。大人の事情でいろんな名前に変わってきたが、私にとってこの場所の名前は永遠に、その名のとおりの「グリーンスタジアム神戸」なのである。

この場所で「膨大な」時間を過ごしてきた。ここにいると、いろんな思い出が。そのときどきの肌感覚とともによみがえってくる。

オリックス悲願の地元胴上げを決めた51番のサヨナラヒットがレフト線を切り裂いた瞬間、神戸中の青空にこだました大歓声、それを撮ろうと急降下してきた報道ヘリの爆音と震災の記憶。藤井康雄が消化試合で（秘かに）放ったプロ野球史上唯一の九回裏２アウト３点ビハインドからの「代打逆転満塁ホームラン：お釣りなし」、アリアスの逆転サヨナラ３ラン、山口和男の１５８キロ（当時最速）、えとせとら。えとせとら。

野球とはしかし。もちろん華々しいシーンだけでは、ない。

ほぼ、ほとんどの時間が、何も起こらない。そして、私が応援しているチームにはかなりの確率で「とほほ」なことが起こってしまう。その「何も起こらなさ」&「とほほ」を愛でるのが野球観戦の奥義。とはいえ、ファンとて哲学者ではない。さすがに辛いときもある。野球場での観戦は、チャンネルを変えるわけにはいかない。が、自然の中に美しくたたずむグリーンスタジアムが見せてくれる「野球背景」が、それを救ってくれるのだ。

たとえば。ナイトゲーム序盤の試合進行とともに刻々と変わる、空の色（夕焼け色に染まった野球場ほど、幻想的な光景はない）。ファンのため息とともに打ちあがった凡フライの向こうに見える、満月。一・二塁間を前傾姿勢で守っている、ハト。必死の形相で顔前の蛾を追い払う、ヒマそうな外野手。変な走り方の、グラウンドボーイ。飛んできた白いビニール袋をすばやく後ろポケットに処理して喝采を浴びる、審判。休憩中のバイトのような顔でブルペンから戦況を並んで見つめる、控え投手たち。顔に当たる、にわか雨。ほほをなでる、甘い風。試合とは無関係に遠くに瞬く、街の灯り……ああ。

そんなこんなをぜんぶ含めての、野球観戦。野球場って、こうでなくっちゃ、でしょ？ これこそが、何度もこの球場に足を運ぶ理由なのだ。

ぜひ。グリーンスタジアム神戸っていうか、正式？には「ほっともっとフィールド神戸」に足を運んでほしい（開催試合、少ないけど）。そして、世事を忘れてゆったりその時間を過ごしてほしい。芝生の匂いを胸に吸い込んで、物思ひにでもふけってほしい。勝った負けたではない、五感に残る本当の野球の思い出を作ってほしい。もちろん、素晴らしいプレイも見たいし、勝ってもほしいけど。

さて。先日も（5月14日（土）vsソフトバンク）、その球場の「お気に入り」の二階席で、大好きな「野球の光景」を楽しみながら、さわやかな空気と花火が演出する夏の予感にひたってきた、私。それだけで、十分に幸福だったのだが。

延長十回。今シーズン初めて一軍に上がってきたベテラン・中村（＊）がサヨナラヒットを打ったのだ。直前まで二軍のグラウンドにいたのに。申し訳ないがあまり期待していなかった満員の観客席は、まさにどんがらがっしゃん状態。ヒーローインタビューでいつもの素っ頓狂な顔して「こんなたくさんのお客さんの前で……」なんて言っている、中村。うーん、ドラマだ。

こんな夜は。いつまでも球場で夜風に当たっていたい。そして、照明が落ちて真っ暗になるまで、芝生を見つめていたい。係員に「あのなあ」という顔で穏便に追い出されるまで。

つまり私は。

「グリーンスタジアム神戸」のファンなのだ。

＊中村一生　1982年生　東海大付属浦安高～国際武道大～中日～オリックス
その夜が野球人生初のサヨナラヒット。しかしそれがその年の唯一の安打のまま、シーズン終了後に引退。
1年間コーチを務めたあと、退団。

ファールボール

私がグリーンスタジアム神戸に通うきっかけとなった「ある事件」を描き、2000年にネット上に登場した「Rivals Japan」というスポーツサイト（現在はありません）が行ったスポーツコラム投稿キャンペーンに応募したところ、約200作品の中から最高の金賞をいただきました。他の作品が有名選手に視線を注ぐ中、「自分が主人公」の作品はこれだけだったそうです。そりゃそうか。この作品がきっかけで、ネット上で野球コラムを書くようになりました。あくまで自分が主人公。いろんな意味で、私の原点です。

ガシッと鈍い音を発したマリーンズ平井のバットから放たれた打球は、まっすぐ三塁側内野席の自分のほうへ飛んで来た。「まさか」と思う間もなく、ヒュルヒュルと唸る硬球はみるみる大きくなり、ガーンと派手な音を立てて左隣の空席に激突、驚いたことにくるくる回転しながらその椅子の上で止まった。

私は夢中で立ち上がりボールを拾い上げる。周りにはほとんど観客はおらず、急ぐ必要はなかったのだが。

かなり大きな音が響いたせいか周囲がざわめき、ブルーウェーブのピッチャー野田、打った平井もちらっとこちらを見る。私は完全に頭が舞い上がり、立ったまま拾い上げた硬球を見つめるばかり。自分の手の中にある、さっきまでゲームの主役だったボール。公式球はずっしりと重く、縫い目が美しい。なにか生きているようで、つい何秒か前の真剣勝負の余韻が伝わってくるのだ。

グラウンドと自分の距離が一気に縮まった瞬間である。

野田は何気ない様子で審判にニューボールを要求し、それを手でこねながら再び平井との勝負に戻っていく。私はぐっとボールを握り締めながら、不思議な一体感とともにその後の試合にひきこまれていった。

今から７、８年前、グリーンスタジアムでのほんの一瞬の出来事である。まだマリーンズはあの恥ずかしい色のユニフォームで、イチローはただの鈴木だった。そのころの私は30過ぎで、なんとなく社会人生活に閉塞感を感じており、衝動的に会社をサボって何年かぶりに球場に足を運んでみたのだった。ひとりで。引き寄せられるように。

ボールを手にした私は体中が野球好き少年に戻っていくような感覚を楽しみ、興奮を隠し切れなかった。生まれて初めてファールボールを取ったのだ。拾ったというほうが正確だけれども。私の中で何かが変わり、頭の霧が晴れたような気がした。

それ以来、仕事の合間を縫ってひとりで球場に通うようになった。決まって平日のグリーンスタジアム。グラウンドの匂いをかぎ、試合前の練習を目と耳で追い、一球も逃さず試合に集中する。プロの技に酔い時間の感覚が消えていく刹那、どんな試合であろうと心は開放され、頭がからっぽになっていく。私にとってスタジアムはかけがえのない場所になっていた。

子どもであることを許されなくなった元野球好き少年にとって、そこは唯一の「許された場所」だ。ここなら何も考えずに野球に身をゆだねられる。テレビ観戦と違って。そして、本物の野球に包まれていれば孤独ではない。

プロのバッターが頻繁にスタンドに打ち込んでくれるファールボールは、目の前の野球が己の妄想ではなく、現実の出来事であることを思い起こさせてくれる、ファンとプレイヤーの掛け橋なのだ。

あれ以来ファールボールを取る幸運には恵まれていないが、自分の机の上にあるあのときのボールを今でもよく握る。そして、野球と自分の不思議なつながりを感じるのだ。

セ・リーグの試合ではファールボールをくれないというのは本当なのだろうか。

震災とブルーウェーブの奇跡

１９９５年１月17日、神戸にとって決して忘れられないことが起こります。まさか神戸で地震が起こるなんて、そのころはまったく誰も案じていませんでした。思えば当時はまだネット環境はおろか携帯電話も一般には普及しておらず、あの震災に関する個人の発信は限られていましたね。このコラムは２００２年の１月、震災から７年後に寄稿したものです。私が住んでいた町でも、多くの人が亡くなりました。改めて犠牲になられたすべての方のご冥福をお祈りします。

その瞬間、私は神戸市東灘区の自宅マンション6階で寝ていた。発生時刻の5時46分直前に、部屋のカーテンが一瞬白く光って「あれ?」と目を覚ましたのは確かだ。それが夢の中のイメージだったのか現実の光だったのかは、永遠にわからない。

ともかくその直後、圧倒的に唐突に。

「それ」が来た。

突然ベッドから突き上げられる事態に、意識の起動がついていかない。凶悪な巨人に容赦なく揺り起こされているような衝撃と、聞いたこともない低音域の轟音、コンクリートの悲鳴。大気圏に突入した宇宙飛行士のような声にならない悲鳴を上げながら、私の頭に最初に浮かんだのは「罰が当たった？」。

何秒あったのだろう？永遠に続くかと思われた爆発的な振動と大音響がようやくフェードアウトを始める。自分の体がまだベッドの上にあることがわかるほどの揺れになってきたころ、その大きな力が、来たのと逆方向（西）に「すっ」と過ぎ去っていくのがわかる。初めて「地震？」という言葉が頭に浮かぶ。そして、揺れが「すとん」と収まった瞬間。今度は世界が終わったかのような、完璧な静寂が訪れたのだ。それはそれは完璧な静寂で、まったくの無音の闇に放り出された感覚に陥る。最終戦争か何かが起こって、今自分は「次の世界」にでもいるのだろうか？

あとから考えればあの瞬間。すべての生物がすくみあがり、車や冷蔵庫などすべての動いている物質の活動が停止していたのだから。生まれて初めて経験する、原初の静けさだったわけだ。

それは、恐ろしいまでに静謐な世界である。

その静寂は、台所の方で、ひっかかっていた皿か何かが落ちたのだろう、パリンという妙に親しみのある音で破られる。そして、やっと私の意識は現実に戻り始めるのだ。それから数カ月、途方もない苦労が待っていることになる、現実に。

ようやく体を起こし、家族の無事を確かめ、他の部屋をチェックする。生まれたてのバンビのように足元がふらつくし、まだ建物が揺れているような気がする。インスタント船酔い状態である。電気はつかない。真っ暗でよくわからないが、いろんなものがガチャガチャと足に当たる。リビングルームの扉を開けると、何か不規則な形のものが部屋の真ん中でうずたかく山積みになり、寝る前に見ていたブラウン管の29インチテレビが、座っていたソファでうつぶせになっている。見なかったことにできれば、と思いながらベッドルームに戻り、家族に絶対に動かないように告げて、少しずつ明るくなってきた外の様子をうかがいに出ることにする。

6階の廊下から下を見ると、何かがおかしい。あとから思えば、ほとんどの建造物が斜めになっていたのだ。下界の民家の屋根が白っぽく見えたのも、まだ暗かったこともありこのときは深く気にとめていない。お隣のご主人が呆然と立っているのに出くわす。「地震、ですよね?」「で、しょうね」。私の部屋だけの話ではないのか。おかしな話だが、少しほっとする。エレベーターの電気がついていないので、階段で下りることにする。

ロビーではたくさんの人が毛布にくるまっている。見かけない顔もいる。みんな目がうつろで、誰も一言もしゃべらない。小さなラジオからアナウンサーの暗い声が聞こえている。「大阪は震度4」。そのときの情報はその程度。時刻は6時過ぎである。やっぱり地震か。大阪が震源?

恐る恐る外に出てみると、すぐ何かにつまずく。マンション前の道路がウロコのようにめくれ、めちゃめちゃなことになっている。「出ないほうがいい!」誰かが後ろから血相を変えて叫んだ途端、頭上からタイルのようなものが、ばらばらっと降ってくる。

なにやらロビーが騒然としてきた。階段から毛布でくるまれた人が降ろされてきたのだ。見覚えのある女性が「おばあちゃん、おばあちゃん」と泣きすがっている。「誰か、車出せますか?」と叫び声が上がり、気がつく。このマンションの駐車場は電動式で、電気がダメなら地下にある車は出せないのだ。男何人かで勇気を出して駐車場に走るが、横転している車を見てその持ち主が小さな悲鳴を上げる。私の車は地下なので、わからない。「俺のが出せる!」と若い男が叫び、スバルのスポーツタイプの車に苦労して怪我人を乗せることになる。怪我人は顔まで毛布に包まれているが、まったく動いている気配がない。車はオフロードを走るようにバウンドしながら、すぐ病院に向かおうとする。が。角を曲がったところで急バックして、一方通行を逆行して走り去った。不思議に思って角まで見に行くと、そこに道はなかった。道であった場所に、家がある。家だったものが。その光景に圧倒され、その中に人がいるなんて想像がつかない。ようやく空がずいぶん明るくなってきて、すべての事実を明るみにし始めつつあった。やけに土の匂いがする。

周囲の家屋の背が異様に低くなっていたのだが、その意味することに気がつかない。なにか、大変なことが起こっているのはわかるが、まだ頭が、想像力が働かない。そしてその時点では、町は「正月の朝」のようにやけに静かなのである。

「さすがに今日は仕事に行かんでええやろな」

正直に言う。こんなときに私の頭に浮かんだのは、こんな程度だ。とにもかくにも、自分の部屋に戻ろう。外界に圧倒され、マンションのロビーに戻る。と、さっきの車がガラガラとマフラーを地面にこすりながら戻って来た。自分の車がボロボロになるのにあの人はえらいなあ、と思いながら外に出て「どうでした？」と聞こうとする。が、ゾンビのような顔で降りてきた彼の、ただならぬ様子に息を飲んでしまう。

興奮しきった様子で、彼はこう叫ぶ。

「びょ、病院が、なくなってるんですわ。ぺしゃんこですわ。病院だけやない、ぜんぶ、ぜんぶぺしゃんこですわ。ぜんぶや。大変なことや。大変なことや。おばあちゃんは消防署に置いてくるしかなかった。なかったんや」

集まってきた人は静まり返り、立ちつくすのみ。

「外へは出んほうがええ。危ないで。危ない」彼の上ずった声を背中に聞きながら、私はこの期に及んでも、よくできた夢じゃないのか？という思いをぬぐえないまま、ふらふらと階段を上がり自分の部屋に戻る。

すっかり夜が明けていた。

巨大なミキサーでかき回したかような部屋の惨状は、目をはっきり覚ますのに充分だった。電気もガスも、水もダメ。そして病院をはじめとする社会が機能していないことも認識した。通りの向こうの商店街から煙が上がっているのに、サイレンの音ひとつ聞こえない。この日初めて、真冬の朝の寒さを感じる。パジャマのままだったのである。

そのすべてが意味することをじわじわ実感しながら、私はごくりと嫌な唾を飲み込む。誰もあてにはできない。サバイバル生活の始まりである。

コンバット・ハイというらしいが、その後の私は、普段では考えられないほど行動的であった。五感を駆使して自分で判断し、大声を出し、自分の体をフル稼働させないと、水も食料も確保できない。生きていけないのだ。

無政府状態だった数日間を切り抜けた後、仕事の関係で被災地を離れた。しかし、週末に分断した交通機関を駆使してマンションに戻り、終わりのない片付けをして、情報を集め、マンション修理の会合に出て……気が遠くなるほど大変だった震災後の日々。ようやくライフラインが整い、半壊状態のマンションに戻って来られたのは、すでに瓦礫の間から桜が見える季節であった。

引きずり出した予備のポータブルテレビに映ったのは、神妙な顔をしたブルーウェーブの選手たち。幸いグリーンスタジアム神戸に大きな被害はなく、ペナントレースに参加するのだという。

その年がマジックイヤーになることは、まだ誰も知らない。

イチローは遠くにありて思ふもの

90年代のグリーンスタジアム神戸の主役といえば、イチローしかいません。キャッチボールですらエンターテイメントにしてしまう彼さえ見られれば、どんな試合であろうがグリーンスタジアム神戸に行く価値はあったと断言できます。そんな選手がいるでしょうか？イチローがアメリカに行ってしまった２００１年のシーズン前、深い喪失感とともにしたためたコラム。まだイチローがＭＬＢであれほどのことをしでかす前のことです。

すでにマリナーズのユニフォームが何の違和感もない彼。テレビ画面からも「がんばってる」臭がしないのが、さすがである。シーズンに入っても気負いなくプレイするだろう。いつもそうしてきたように。テレビの中のメジャーな彼は、いつも身近に感じたあの彼と同じ人間という気が、しない。さびしい。

そう。もうグリーンスタジアムに行っても、彼はいないのだ。

完全に、圧倒的に、ゴミ箱のふたを全部開けても彼はいないのである。シーズンが迫った今になって、妙にうろたえてしまう自分がここにいる。マリナーズ行きが発表されたときは、「そりゃそやろ。よかったやん」と思えたのに。もう彼が当たり前のようにフィールドにいたことすら、夢だったような気がする。

スタジアムに向かうとき。

「今日もイチローが見れる」という期待だけで、どんなにわくわくしたことか。珍しく打撃で見せ場がない試合だって、守備で打球を追う姿や低い弾道の返球、捕球動作に入ったときの構えを見ているだけでシアワセな気分になれたものだ。極端な話、ライトの守備位置に走っていくだけでも絵になるのが、彼だった。

8番バッターのくせに、ものすごく鋭い打球を連発していたのに驚いたのが92年ごろ。そのときは「鈴木かぁ」くらいの印象だったが。その後、あれよあれよという間に地味なチームを全国区に押し上げるほどの人気者になった彼。ブルーウェーブ夢階段。当時のスタンドには「えっなんで?」というような野球場に来るタイプではない（苦しい表現）女子グループが激増し、落ち着かない気分になったものだ。もっとも彼女たちは彼の打席以外のことにはまったく興味がなく、雑誌を読んだりお菓子を食べたり。

そして、なんと言ってもあの96年である。

震災のおかげで並ぶことには慣れちゃった我々を、さらに連日チケット売り場の前に長時間並ばせ、やっと地元での胴上げを見せてくれたあの瞬間を、私は一生忘れることはできないだろう。レフト線を転がる彼のサヨナラ打の軌跡、スタジアムの絶叫、降下してきた報道ヘリの爆音で思い出した被災生活のあれこれ、ぴょんぴょん跳ねてた彼の姿。日本中の注目が集まった、グリーンスタジアム神戸の一世一代の晴れ舞台。

いつだってどこだって思い出しては、胸がきゅっとなる。あのときの初秋の空の色さえも脳裏に蘇るのだ。


人は成長する。そして未来永劫確かなことなんてない。当たり前のことだ。でも、この期に及んでも、彼がいないっていうことが、うまくまだ頭で理解できない。

何事もなかったように新しいシーズンは始まろうとしている。彼がいた場所には、何年か前の彼のような、生き残りをかけた若い選手が立っているのだろう。そしてプレーボールがかかり、真新しいボールでまた野球が始まる。

もちろん、これからもその場所にいたいと思う。スタジアムは、変わらずうっとりするような芝生の匂いをさせて私を待っているに違いないから。

マンデー・パ・リーグの模範演技

２００１年当時、パ・リーグは人気がなくてマンデー・パ・リーグなる試みが行われていました。つまり、セ・リーグの試合のない月曜日に試合をやって少しでも世間の耳目を集めようという、いじらしい企画。当時は月曜から球場に行く人は少なかったのか、知らない間に消滅しちゃったマンデー・パ・リーグの記録です。なぜかふらっと球場に行くといつもファイターズ（北海道移転前のオレンジカラーユニのころ）の試合だった気がするな。

2週間ぶりにチームが神戸に帰ってきたのに、なんやかやで週末はグリーンスタジアム神戸に行けなかったまま、月曜の朝を迎える。不機嫌である。その上、ウルトラだるい。サラリーマンのため息で窒息しそうな月曜朝の通勤電車に乗った途端、心の中で叫ぶ。

「今日も神戸で試合あるやんけ。マンデー・パ・リーグ行く。絶対行く。なんとしてでも行く」

以下は、マンデー・パ・リーグで心の安らぎを取り戻した男の記録である。ブルーマンデーを野球で救われた男がここにいる。でも、善良な社会人のみんなは、絶対に真似しないでね！

月曜の朝なので、いったんは会社に顔を出しておこう。よくわからない安全弁である。問題は「いつ会社を抜けるか？」。なんといっても私は「開門と同時に球場に入りたい」ちょっと「あれ」なファンであるからして、定時退社は問題外として、３時なのか？３時半なのか？いえいえ。こういう場合は「昼休みのどさくさに黙って消えちゃう」に限るのだ。これなら誰も追いかけてこれないし、補導もされない。後のことは知らん。そういう性格。

さて、お昼に会社を抜け出せたのはよいとして（よいのか？）、球場に行くには、ちと時間が早い。まだ設営バイトも来てない球場前で開門を何時間も待っているオトナにだけは、なりたくない。よくわからないこだわりだ。こういうときこそ、ひとりでのんびり平日の三宮の散策だな。

カツ丼の名店で至福の時を過ごし、パソコン・ショップで新iBookにケチをつけ、プラモ屋さんで物欲と戦い、中古レコード屋でジャケットをパラパラしてから、にしむらコーヒーでいつものブレンド……いい気分である。そして、開門時間に合わせてウキウキ地下鉄に乗り込むのだ。所要時間約20分、最寄りの「総合運動公園」駅で降りる人は数名のみ。球場周辺は開門が迫っているのに見事に「がらーん」である。そういうところだけ阪急ブレーブスの域に達する、ブルーウェーブ。マンデー・パ・リーグにまったく貢献していない。

私はそういうのに慣れているが、初めて来たっぽい家族連れがあまりの閑散ぶりに驚いて思わず「今日、試合あるんですよね？」しかも聞いた相手はなぜかそこにいた笑顔のバルボン。「あるよー、試合あるよー」

間もなくひっそり開門時間が訪れ、球場内をいろいろ探検だ。三塁側のファイターズ・ブルペン前では、投手陣がわいわいとストレッチ中。そこに、いつものようにおどけながら「まいど」岩本（＊）が外野から走って来る。それだけで「どっ」と盛り上がる投手陣。

＊岩本勉　1971年生 阪南大学高～日本ハム
2005年限りで現役引退後も人気者。芸人としての完成度の高さはプロ野球出身タレントの中でずば抜けており、パンチ佐藤などは簡単にその座を明け渡してしまった（涙）。「パ・リーグ党芸人」の中にちゃんとした実績がある元選手が混じっているのが本当に笑える。

野球選手ってチームが低迷してるからって「暗い」とは限らない。暗くなるのは一般のファンの方。特にファイターズはいつも明るい。ミラバルが相手を見つけては延々と格闘技ごっこしていて大騒ぎ。いささかしつこすぎて、最後には全員が逃げる。岩本は、スタンドの子どもらが「まいど」と声をかけると必ず律儀に「まいど」と返事を返す。サインにも気軽に応じたあと「学校行ってるか？」。どこまでが確信犯かよくわからない彼のキャラは、実はかなり複雑なのかもしれないし、そうでないかもしれない。とにかく、「まいど」と呼ばれて「まいど」と答えて成立する光景なんてここにしかない。

夕刻となり、スタンド後方の空が徐々にオレンジに染まっていく（思えばこれはファイターズ・カラーだったのだ）。オレンジと濃いブルーのグラデーションを背景に、スタジアムの輪郭がくっきり浮かび上がっていく。

美しい光景である。

そんな中、今度はブルーウェーブ選手たちが一塁側でキャッチボールを開始。「ぱしーん」「ぱしーん」という乾いた音がさわやかな空気に響き、ほとんど人のいない（とほほ）スタンドにこだまする。こういう光景を肌で感じながら、私の体は、徐々にのんびりした野球モードに変わっていくのだ。

さあ試合開始というときレフトスタンドをふと見れば、ファイターズ応援団員が、なんと一人しかいない。気の毒にも彼はたった一人で西日に照らされながら、下を向いて苦行僧のように無言で古くさい応援旗を振るばかり。やっと三回くらいにスーツを着た2、3人が「すまんすまん」と到着してそそくさとハッピに着替えながら応援に参加して、なんだかこちらもホッとする。あぁ、マンデー・パ・リーグ。

さて試合内容は……

一度ならず二度までも満塁のチャンスで凡退したビティエロ（＊）の放心した青い顔が、ベンチの片隅に浮かび上がっている。この試合を象徴する光景である。残塁マウンテンで相手にはあっさり点を取られる典型的負けパターンで、ブルーウェーブ完敗。選手を代えすぎて最後はセカンド・アリアスなどという斬新な守備隊形を見られたくらいが本日の収穫か？どちらのチームも投手を代えまくるし、ブルーウェーブ・ファンにとっては、長いだけで何も起こらない最悪の試合だったかもしれない。

しかし、いいのであ〜る。スタジアムは涼しいし、頭は空っぽになった。野球というスポーツの持つ、恐ろしく効率の悪いなんともいえないテンポが脳内ヒーリングとなり、ブルーマンデーだった私はあっさり元気を取り戻したのである。

さあ！明日は会社でどんな言い訳をしようかしらん。

大丈夫、言い訳は得意だから。

＊ジョー・ビティエロは2001年だけオリックスでプレイ。22本塁打をマークするなどまあまあの成績だったが、なんとなく消えた。このころから、真面目そうで「まあまあ」の白人選手が入っては消えるというパターンが始まる。

雨中の代打逆転満塁ホームラン

野球の神様は、ごくごくまれに奇跡を起こします。足しげく球場に通っていると偶然そんな瞬間に立ち会えることがありますが、それを期待して球場に通ってはいけません。奇跡は野球の本質とは言えないからです。でも、２００１年９月30日の雨中のロッテ戦に、目の前でひっそりと「それ」は起こりました。感動したというよりは、びっくりしました。そんなことあるんやと。このころは、小学生の息子に付き合ってライトスタンドにも座ってたな。

キン！

満塁アーチスト・藤井のバットが力強くボールをとらえた瞬間、球場の誰もが「その意味すること」を理解した。驚嘆と悲鳴。あちこちでファンが手から放してしまった傘が宙に舞っている。降りしきる雨を弾き飛ばしながらシュイーンとこちらに向かってくる、康雄さん独特の、美しい放物線！「ゴツっ」とそのボールが真近のライトスタンドにぶつかる音が、確かに聞こえた。激しい雨の中で残っていた数少ないブルーウェーブ殉教者たちが、声にならない声をあげて、アホみたいに跳ね回っている。

たった今、「代打逆転満塁サヨナラホームラン（お釣りなし）」を現場で目撃してしまったのだ。

この日は、朝から雨だった。

予報では「どんどん強まる」と。それでも、行ってしまうのだグリーンスタジアム神戸に。とっくにペナントレースの趨勢が決まった9月末、ロッテとの「Bクラス頂上決戦」という消化カードだけど。

球場の駐車場に到着すると、係員が何度も何度も甲高い声で「中止になっても駐車料金はお返しできませんっ」と叫んでいる。わかった。わかったからっ。

ゲーム開始から延々雨に降られつつ、試合は文字通り淡々と消化され、同点から八回にロッテ・初芝の勝ち越し3ランが出て3―6の3点差のまま、九回裏2アウトランナーなしまで来ていた。

冷たい雨に耐えかねて良識ある観客はとっくに帰宅。スタンドはガラガラ。たぶんブルーウェーブ・ファンより、勝利の瞬間を待っているロッテ応援団の方が数が多い（もとより彼らには途中で帰るという選択肢はない）。とにかく全員、パンツまでずぶ濡れである。

そしてとうとう、最後のバッターだったはずのビティエロが平凡なライトフライを「ぽっかーん」と上げたとき、実はほっとしたのだ。「はい。お疲れ様。撤収！」えらく寒いし、早くトイレに行って帰りたかった。しかしである。なぜかロッテのセカンドとライトが「どうぞ。いえいえどうぞ」と譲り合って、ボールが間にぽとり。さらにその後、勇敢に尿意と戦う私を尻目に、大島と葛城が左へ右へポンポーンとヒットで、あれま2アウト満塁のチャンスをブルーウェーブは作るのだ。

その瞬間、私の体を下から上へ走った〝ぞぞぞ〟は「尿意」なのか「お告げ」なのか？ 着々と帰り支度を始めていたライトスタンドは代打・藤井のコールで「おぉぉぉ」とどよめく。康雄さんが残っていたのだ。あの、満塁アーチストの藤井康雄さんが。「3点負けてて満塁のチャンス」である。園児にもわかる足し算が、ファンの頭を駆け巡る。にわかに再び火が灯ったファンによる「康雄さーん」大コールを受けて、なんだか自信たっぷりに藤井が打席に入る。

そして。本当に起こっちゃったんです、それが。これほど凄いことが起こると、言葉は出ないということがわかった。隣にいた息子（当時11歳）は、「あ！」と叫んだきり地蔵のように固まってしまった。

呆けたように立ち尽くし、驚きにうち震えながらその後のグラウンド上やスタンドの大騒ぎを無言で眺め、康雄さんのダンディーなヒーローインタビューを聞いても、なんか〝ぞぞぞ〟が抜けないや。あ！そうだ、トイレに行きたいんだった。
慌てて駆け込んだ外野スタンドのトイレの光景に、「ぎゃっ」！
人間大のゴキブリが立ち上がり、力なく便器にもたれかかって一斉に用を足していたのだ！あ、失礼。ゴキブリに見えたのは、揃いも揃って黒ジャージが濡れそぼったロッテ・ファンがずらりと並んでいたから。口々に「九回2アウトで……」「あぁぁぁ」「小林マサて……」「あぁぁぁぁ」中にはトイレの壁にごりごり額を押し付けてうめいている人も。この日は七回の「さぁ、マリーンズファンの方は応援してください」で間違えて「ライオンズの応援歌」が流れたり（場内大爆笑）、彼らには散々な日だったのだ。

そう。我々はやられた側の気持ちも、ありありと理解できる。ほんの4日前に、近鉄の北川に同じことをやられたのだから。それも含めての、奇跡。あちらはなんと優勝決定のオマケつき。野球の神様はイタズラの度が過ぎたのを反省して、ブルーウェーブにお返しをくれたのかしらん。

というわけで、たった4日前に派手にそれが起こってしまっていたし、同じ日にはドイツのマラソンで高橋尚子が世界新を出し、巨人・長嶋監督の勇退セレモニーがあり、イチローが安打数でシューレス・ジョーの記録を破り、この偉業が一般に報じられる余地は「ま〜ったく」なかったのである。

そこにいた数千人だけが、ひそやかに目撃したドラマ。でも胸を張って語り継ごうじゃないか。2アウトからの代打逆転満塁ホームランは史上初なのだから。しかもしつこいようだが、お釣りなし。

＊藤井康雄　1962年生 泉州高～プリンスホテル～阪急・オリックス
康雄さんの通算14本の満塁ホームラン（歴代3位）、代打満塁ホームラン通算4本（歴代1位）は、まさに満塁アーチストの名にふさわしい記録。ミスター・ブルーウェーブは、そのプレイスタイルと本塁打の軌跡が美しかった。このホームラン翌年の2002年に現役引退。引退セレモニーで7色の紙テープに覆われた超満員のグリーンスタジアム神戸は、忘れがたい。

で。私は康雄さんとは同年代だし、下戸で音楽好きなところに勝手に共通点を感じている。康雄さんが現役時代に出したCDをプロデュースした尾崎和行さん（故人）とは、私が20代のミュージシャン時代に各地のライブで何度もご一緒させていただいたことがある。

とほほ、ブルーウェーブ暗黒時代

私が頻繁にオリックス・コラムを書いていたのは、よりによってイチローがいなくなった2001年からの数年間。その間のチームは最下位が定位置で、試合時間のほぼ8割が相手の攻撃時間という有様でしたが（特にダイエー戦な!）、そのころの「とほほ」あふれるコラムが人気を博したのも事実です。自分でもあの斜体背番号時代はなぜか好き。特に、歴史から消し去られた石毛～レオン時代!その暗黒時代を代表する3選手にご登場願いましょう。2003年のコラムです。

オーティズの衝撃と恐怖

開幕戦初打席でホームラン！これがよくできた「オーティズの衝撃と恐怖」作戦の序章だったのだ。いきなりの長打を見せつけられて、使い続けた石毛監督の気持ちは、まあ分かる。しっかし、そこからたった数試合で我々の身に降りかかってきた災難は、あと数年は取り返せないほどのインパクトがあった。

すぐさま初期不良のようにぱったり作動しなくなったオーティズ初号機は、ただ打てないだけでは許してくれない。まず、西武戦で「アシカにでも取れそうな」やさしいやさしいファールフライを、衝撃的落球！あまりのショックでそこから投手陣が崩壊。次のロッテ戦では「ナメクジでも併殺に取れそうな」やさしいやさしいサードゴロを後ろにそらして大量失点を演出した上に、チャンスできっちり2併殺打。

そしてなんとなんと、私が観戦した翌日のロッテ戦で「2日連続の2併殺打」&エンドラン・サイン見落とし付き！をやってのけよったのである。恐るべきことにこれで4試合連続併殺打。負の波動砲か！さらにその試合の1点ビハインドでの最終回。小林雅から代打・五島のヒットなどでやっとのことで作り上げた、2アウト二・三塁の逆転サヨナラの大チャンスで。あぁ、呪われたように打席がめぐってきちゃう、オーティズ。スタンドの「代えろー。いや、代えてください」の悲鳴もむなしく、そのまま打席へ向かうオーティズ。しかしファンの期待なんて、いじらしいものである。私の頭には「オーティズ名誉挽回サヨナラ逆転打！」なんて、何の根拠もない見出しが躍っていなかったと言えば、嘘になる。踊っていたと言えば、鬱になる。

はかない願いもむなしく、数十秒後には赤子のように変化球に引っかかり「へっぴり腰で」空振り三振をするオーティズの姿が、目の前に。とほほのほ。しかしその瞬間のスタンドは、罵詈雑言というより「驚きのため息」に支配されていた。たった一人の人間が一試合でこれだけのヘマができるのか？という。少なくとも彼には、悪意はないわけやんか（あったらすごいなそれも）。その素顔はけっこう繊細そうで一生懸命取り組んでいる事はよくわかる。それだけに、なんかブラックなコメディを見ているようなオーティズ劇場。

「去年（最下位）のようなことはないやろ」と期待して開幕を迎えたファンを待っていたのは、ドミニカ産の衝撃と恐怖であった。オーティズのせいだけとは言わないが、シーズン開始直後の4月23日に石毛監督は電撃解任となるのである。これでオーティズのミッションは終了なのか？

＊ホセ・オーティズは、この年なんと24失策。翌2004年も18失策の破壊力。打撃では非凡なものを見せるも2年で退団。が、その後ロッテなどパ3球団を渡り歩き、それなりの名誉回復を果たした。私はロッテ時代の彼を神戸・三宮の（今はなき）東急ハンズで見たことがある。なぜかペンチを買おうとしていたのだが、いったい何をする気だったのか？

ブラウン博士のロケット

あのボールの軌跡を。グラウンドレベルから人が投げたとは思えぬ高度で失速せずに水平を保ったままロケットのようにスタンドに突き刺さっていった、あのボールの白い軌跡を。私は忘れる事はないだろう。

真夏の夜のダイエー戦。ブルーウェーブのレフト・ブラウンは、単なるレフト前ヒットをグラブに収めるやいなや、何を思ったかファーストへと大遠投を敢行したのである。き、君はそんなプレイを見たことがあるか？ファーストの葛城が「え？」と両手を広げ、球場にいた全員が「はあ？」と顔を見合わせる中、ぐいぐい加速したボールは葛城の頭どころか内野席フェンスをはるかに超え、びっくりするような大音響とともにスタンドの椅子にぶつかったのである。ガツーン！と。逃げ惑う周囲の観客。

ヒットを放ったダイエー打者は呆れ顔で二塁に進み、結果的にここからブルーウェーブ投手陣は勝ち越されてしまう。な、なにそれ？まったく無用の大エラーやん！とファンからはうめき声すら聞こえていたのだが……私はといえば、ずうっと笑いを噛み殺し、先ほどの大暴投を思い出して総毛立つような興奮を覚えていた。あれこそ、プロにしかできないエラーだ。指導者の方が選手より偉い日本野球ではあり得ない発想の。（たぶん）レフト・ゴロを狙ったんだよ、ブラウンは。ノーコンなのにな！

目の覚めるよなホームランなら、いろいろ見た。確実で的確な好返球ならイチローや田口のを、山ほど見た。それらは野球というゲームの枠組みの中での、プレーだ。しかし、人間のアームがこれほど破天荒な球道を生み出せるとは！

これは、「目の覚めるようなエラー」なのだ。そういうジャンルなのだ。「大事に行き過ぎてぽろり」なんかのエラーとは、スケールも次元も違うのだ。なんの意味もないどころかチームにはマイナスだったけど、あんなの二度とは見られないことだけは事実。

こういうのが、好きなんよ。こういうのを、見たいのよ私は。この大暴投は「ブラウン博士のロケット」として、私の胸に永遠に刻み込まれるであろう。

＊ルーズベルト・ブラウンはこの年12失策。外野でこれほどの失策数をカウントされるのは、ロケット・アームから繰り出された送球エラー、つまり暴投が異様に多いから。カメラマン席を恐怖のどん底に陥れたこともしばしば。翌年途中で退団。その後アメリカの３Ａでプレーし引退した。２００３年は3割、28本塁打と、打撃は悪くなかったが。

山﨑先生の大激走

とある近鉄戦の終盤。思いっきり引っ張った「つもり」の山﨑武司先生の打球は、逆方向のセカンド後方にふらふらポトリ。先生はちょっと照れ臭そうに、例の「しんどいねん」アピールな走り方で一塁にゆっくり向かう。この打球でライトゴロは狙えないし、走者は山﨑である。近鉄のライト・磯部がいかにもだるそうに、のんびり打球を拾いに行ったのは、事実なのだ。

山﨑先生のスイッチって、どこで入るか誰にもわからない。磯部の態度に「カチン」ときたのか、急に走る速度を速めて一塁を蹴って二塁へ進もうとしたから、みんなが驚いた。ファン全員（味方ベンチも）が「え?やめとけー!」と絶叫する中、どたどたと二塁ベースに駆け込もうとする、先生!「どう見てもアウトのタイミング」だったのだが、磯部は完全に慌てて二塁へ悪送球!ボールはレフトに転々と。それを見て、倒れ込んでいた山﨑先生が「ぴょこん」と器用に立ち上がった姿だけでも1週間は笑えたのに、三塁へ突進していったから、もう大変。スタンド総立ちで再び「やめとけー!」。しかし幸い、転がったボールを処理すべき位置に鎮座していた守備のやる気「０％」のレフト・ローズは、微動だにせず!それを見たサードの中村ノリが「え?わしが?足痛いのに、マジで?わしが?」と足を引きずり引きずりボールをゆっくり拾いにいく!ああ近鉄ワールド全開。

それが目に入ったのかそんな余裕はなかったのか、すでにまったく足が上がっていない山﨑先生は、あれ？三塁を回ってしまっているぞ！ちうか、たぶん止まれないでホームに向かって惰性運行中だぞ！（馬場・三塁コーチは何の役にも立っていない）。

走っているのになぜか後ろに倒れそうになった体勢の山﨑が、喘ぎ笑いながら（本当に笑っていた）ホームベースにドスンと「尻餅」をついたのと、キャッチャーがはじいたボールが「ぽーん」とホームベース上に舞ったのが同時だった。
セ、セーフてかえ！
私はこの寸劇の間中、「ぎゃははははは」と笑い続けていた。球場であんなに笑ったことはない。山﨑武司のライト前ポテン・ホームラン（記録はシングルヒットとエラーだろうけど）。いやあ、ええもん見れました。

＊山﨑武司　1968年生 愛知工業大学名電高～中日～オリックス～楽天～中日
先生はいろんな意味で忘れがたき球界のお騒がせレジェンドである。ブルーウェーブに不在の右スラッガーとして期待されて入団したが、（監督と）いろいろあって神戸には2年しかいなかった。神戸元町・大丸前に停車したド派手な黄色のランボルギーニのガルウィングドアがビヨーンと跳ね上がり、中から「よっこいしょ」と降りてきた先生を目撃したことがある。周囲の人は「遠巻き」に見ていた。

ある日突然に。ブルーウェーブ消滅

2004年6月に発表されたオリックスと近鉄の「合併」は、グリーンスタジアム神戸で観戦してコラム書いてという、それなりに幸福だった私の「ブルーウェーブのある生活」を大きく変えることとなる。

時を同じくして、お世話になっていたスポーツ・サイト「Rivals Japan」（親会社は同年ダイエー球団を買収したソフトバンク）も突如消滅してしまい、さすがに気持ちが「萎えて」しまったのだ。球界も私の生活も「再編」である。

それにしても。応援するチームが他チームと「合併」するというホラーを体験した野球ファンは、後にも先にもオリックス・ブルーウェーブと近鉄バファローズのファンだけだろう。2つ合わせて今日からオリックス・バファローズですぅ?んなアホなことが！でも現実に起こってしまったのだ。読売タイガースなら?世間が許さないだろうに。

しかも、同じ関西とはいえあまりにもカラーの違うオリックスと近鉄である。阪神間のカトリック系女子校と南大阪の男子工業高校が合併するようなものではないか！青春ドラマじゃあるまいし。背景に大人の事情があったことを「解説」されても、慰めにもならない。最終的には新球団・楽天イーグルス創設に伴う「選手分配」ときた。よくも皆さんあんなことに耐えられたよなあ、と今となっては思う。

合併元年の2005年シーズン細部はよく覚えていないが、ホームゲームの半分は神戸で開催。そのときのスタンドの「違和感」だけは忘れられない。昨年まで「反対側」にいた人たちが「こちら側」にいるのだから。新チームのユニなど買って着ている人はほぼおらず、みんな昨年までの応援姿なので「入り乱れぶり」が一目瞭然。

元ブルーウェーブ・ファンは気が弱いので、必死で猛牛マークを避けて座ろうとするのだが、そうもいかない。後ろの席の中村ノリ・ユニを着た金髪親父が「なめとんか、くぅらー」と野太い大声で野次るたびに、そしてその親父の縮小コピーみたいな息子（金髪）が私の席の背もたれを「がんがん」蹴飛ばすたびに、「居場所がないっ」と思ってしまう。グリーンスタジアム神戸なのにっ（涙）。

なによりも合併応援団が（当時は）継承してしまった「は・よ・や・れ！」コールが恥ずかしい……

ラインアップには北川や大西など「ゴツゴツの近鉄顔」が並んでおり、どんな気持ちで応援していいのかまったくわからない。ユニフォームにだけ残されていたブルーウェーブ・テイスト（色使いや字体が同じ）も元近鉄ファンの激しい抵抗により変更されるなど、混乱ありありだった合併初年度のオリックス・バファローズ。

それでもなんとか4位でシーズンを終えたのは、オリックス・近鉄両球団での監督経験という「切り札」で復帰していただいた仰木翁の手腕かな、と思っていたらシーズンオフにご逝去。なんとも壮絶な、新球団の船出となったのである。

球団はしかしその後、少しずつ「オリックス・バファローズ」としてのチームカラーを模索。当初は清原やFAで迷走した中村ノリを入団させるなどの「力技」で集客を図ったが、年月が経過するごとに選手も入れ替わり、T―岡田や金子千尋、平野佳寿など、最初から「オリックス・バファローズ」に入団した選手たちが主力となっていく。

2008年には本拠地が大阪府に一本化され、とうとう神戸に縁のない球団に。2011年には球団旗・ユニフォーム・ペットマーク・ロゴマークが一新されてマスコットもネッピー&リプシーからバファローブル&ベルへ。イメージ的に現在のオリックスにぐっと近づき、2014年にクライマックス・シリーズに進出したころにはさすがに球団合併など過去の話、という雰囲気にはなっていた。時は流れるのだ。

大阪のチームになってしまったオリックス・バファローズに、ブルーウェーブとのつながりを期待してもしょうがないことはわかっている。しかし、オールド・ファンはそこまで物分かりが良いわけでもない。「神戸に野球があったころ」と同じ情熱を保つのはさすがに難しい。ドーム球場が私の観戦スタイルに合わないこともあり、観戦回数は激減していくのである。

合併にまつわる悲話の主役は、近鉄バファローズだけではない。結局のところ、オリックス・ブルーウェーブも消滅したのである。

真綿で首を絞めるように、少しずつ……

平成最後のグリーンスタジアム

オリックス・ブルーウェーブの消滅は阪急ブレーブスの身売り以上のショックで、野球を書くことからしばし遠ざかります（個人日記レベルでは書いていましたが）。自分の生活もずいぶん変わりましたが、やはりバファローズとなってもオリックスのことは気にかけてはいました。野球自体が好きですし。そして2016年、縁あって「K!SPO」でまた野球ライターとしての活動を再開させていただくこととなりました。主な舞台はもちろんグリーンスタジアム神戸。ですが、神戸開催試合はほぼなくなり、球場も老朽化が目立ってきました。これは平成最後のこの球場での試合をレポートしたコラムですね。

2019年4月18日(木)、今年のオリックス神戸開幕試合である日ハム戦は、ほっともっとフィールドでの「平成最後の」試合となった。ここで野球を見ないと始まらない私にとって、これが実質の開幕戦。若手の台頭で激変しつつあるチームを目撃しに、いざ球場へ。

ほっともっとフィールド神戸（グリーンスタジアム神戸）の完成は、バブル末期の昭和63年。翌年の平成元年からは阪急を買収したオリックス（ブレーブス）が準本拠地として、平成3年からはブルーウェーブとなって本拠地として使い始めたわけで、平成という時代をオリックス球団はこの球場で駆け抜けたのである。その間、ほんっとにいろいろなことがあった。

平成の31年間、大震災あり、優勝あり、復興あり、本拠地が大阪に移り……なぜかバファローズとなり。あぁ。世間は移ろいゆくけれど、この美しい球場だけは、変わらず野球本来の魅力を教え続けてくれたのである。いつも変わらず。

芝生の匂いを感じ、頬に風を感じ、舞い上がるボールの先の空に浮かぶ雲を見つめ……。屋根のない球場は、野球にまつわるいろんな光景を「五感」に変換してくれる。ドーム球場は、勝敗しか伝えない（気がする）。そしてこの31年間、目の前のグラウンドを駆け巡った数多のプロ野球選手たちの栄枯盛衰を考えると、なんだか温かい気持ちにもなる。

考えるだに、恐ろしい数の試合を、ここで私は見てきた。イチローそしてブルーウェーブ全盛期を見た。あの胴上げも見た。劇的サヨナラ勝利も、ボコボコにやられた試合も見た（どちらかといえば後者を数限りなく）。その全てを、石毛～レオン時代ですら愛している。この球場のファンだから。

その間、チーム名もだが球場の呼称もくるくる変わった。日本の野球場初のネーミングライツで

「Yahoo!BBスタジアム」（平成15年）になって以来、「スカイマークスタジアム」（平成17年〜）、「ほっともっとフィールド神戸」（平成23年〜）。私には永遠に「グリーンスタジアム神戸」なのだが。

ここでトリビア。平成16年、ソフトバンクがホークスを買収したのでさすがにYahoo!はまずい？てことで1年だけつけられた仮称は？　答えは、なぜか「神戸球場」。「グリーンスタジアム神戸」じゃないんかい！（たまにこの球場のことをめんどくさがって「神戸球場」と呼ぶ年寄りがいるが、あながち間違いではないということか）

さて。オリックスを見守ってきたこの球場の平成最後の試合は、今年から日ハムに移籍した金子弌大とオリッの新世代・山本由伸の投げ合いという、劇的な新旧エース対決であった。ま、結果は金子のほぼ完璧な内容で日ハム勝利となったが、これはこの球場で成長して美しい投球を何度も見せてくれた金子への、球場からの餞別であろう。この勝利で12球団全てから勝ったことになる金子には、これからも頑張ってほしい。この球場ではそんな、優しい気持ちになれるのだ。

新生・オリッにも見せ場はあった。新人・パンチ頓宮とラオウ杉本の痛烈な連続ホームランが、次々と夜空に吸い込まれたのだ。そんな光景を見れただけで幸せである。冷たい夜風は体にこたえたが、それも野球の一部。だから野球記憶は体に染み込んでいくのである。いつものように美しいフィールドを照明で輝かせながら、この球場の平成最後の試合は幕を閉じた。ふと見上げると、夜空に満月。

令和の時代のオリックスの課題は、ただひとつ。この「どんな瞬間も絵になる」素晴らしい球場の有効活用である。年間数試合では、あまりにももったいない。野球界にとっての大きな損失だし、神戸を愛する者にとってあまりにも寂しい。ブルーウェーブ復刻ユニ企画とかするんなら、それは神戸でやりましょう。大人の事情でそうもいかないって？ああ一体、どうすれば。

そうだ。あの先生に、なんとかしてもらうわけにはいかんのか？

前日も三宮で目撃情報があった、あの「イチロー」先生がその莫大な財力を持ってして愛着ある神戸にオリックを呼び戻す！のが無理なら新球団「神戸ブルーウェーブ」を作って球場名を「グリーンスタジアム神戸」に戻す！

これが私の「フィールドオブドリームオブ令和」である。オネシャス。

パ・リーグの旅

西宮球場のあったころ

子どものころ、身近にあった西宮球場。親戚が阪急電鉄に勤めていたので、フリーパスでした。阪急ブレーブスは黄金期だったのですが、当時のパ・リーグはテレビには決して映らないし、子ども感覚ではあまり有り難みを感じていませんでした。それでもV９時代の巨人との日本シリーズがその西宮球場で行われたときには、興奮しました（あぁ、平日昼間の日本シリーズ）。実はオールスターで江夏が９連続三振を達成したのもスタンドで見ております。そんな球場がなくなったことを惜しむ前に、もっと通っておけばな、ちう話です。２０１６年のコラム。

１９８０年代はじめの、ある夜。大学生だった私は、大阪梅田のゲームセンターでのバイトを終え、今も変わらぬマルーン色の阪急電車・神戸線で家に帰ろうとしていた。梅田から約15分。疲れでうとうとしていた私は、電車が西宮北口駅に到着するべく「がくんっ」と減速した揺れで、ふと顔を上げた。と。沿線の建物の谷間から一瞬、鮮やかな照明灯の怪しい灯りがちらっと見える。

「あ、阪急……試合やってるんか」

遊びとバイトで忙しい大学生である。小学生のころから地元の阪急ブレーブスをぼんやり応援してはいるが、久しく球場には行けていない。今夜は約束もなく、ヒマである。電車は駅に到着し、プシューッと扉は開いている。目的の駅はひとつ先だが、なぜかその日は照明灯の光に誘われて、衝動的にホームに飛び降りる。

湿っぽい地下道をくぐって、球場側出口へ。改札近くに設置された構内スコアボードを見ると、まだ二回が終わったあたり。急いで駅を出て小説「勇者たちへの伝言　いつの日か来た道」（増山実・著／角川春樹事務所）の舞台にもなった駅前の喫茶店やカレー屋（「カレー・サンボア」は学生しか入れない変な店）の並んだ歩道を足早に行くと、すぐに西宮球場である。

周囲に人の気配はまるでなく、中で試合をやっているとは思えない。むやみに立派なエントランスが寂しげに私を迎える中、ゲートをくぐってコンクリート臭のする通路を数歩駆け上がると、いきなりカクテル光線に浮かび上がった勇者たちの赤白ユニフォームが目に入る。外の暗さと中の明るさのコントラストで、目が眩む。

そして私は、あまりにもガラガラのスタンドを見回して息を飲むのだ。人がいなさすぎてなんだかバツが悪く、軽い後悔の念すら頭をよぎる。ほぼ無人のスタンドにそびえ立つ無骨な錆びた鉄骨が妙に目立つ。そのころの西宮球場の特に平日ナイターの観客動員数は悲惨で、指差しで数えてしまえるほど。その日もびっくりするほど少なくて「数分で数えきれるほど」であった。どの球団も応援団が陣取る今と違って、外野スタンドはまったくの無人。栄光の70年代戦士たち（山田、福本、蓑田、加藤秀、マルカーノ、中沢……）がまだ健在で、チーム成績も常に上位だったにもかかわらず、である。

詳細はきっぱり覚えていないが、阪急がボロ負けしていたことは確かだ。そんな試合の終盤、久しぶりに見る有名投手が、マウンドに登る。あの、山口高志である。まばらな観客が「おっ？」と微弱に反応する。伝説のデビュー（１９７５年の日本シリーズで獅子奮迅の活躍でＭＶＰ）から阪急ブレーブス全盛期の４年間を支え続けた剛腕も、その後は故障でさっぱり。そんな山口がこの日はなんと、敗戦処理で登場なのだ。

確か、その日もボコボコに打たれんだと思う。うつむいてマウンドを降りる山口にまばらなファンから「やめてまえー」の声が飛ぶ。私も何かを言ったような気がする。なんせ観客が少ないので個々の声がダイレクトにフィールドに届き、山口の耳に入っていたことは間違いない。かつてのチーム悲願の日本一の大立役者に、罰当たりなファンたちである。

その数日後。スポーツ新聞の片隅の記事に「あっ」と言うことになる。そこには「山口高志、現役引退」の文字が。あの日のあんな姿が、プロ野球の歴史に残る剛腕投手の見納めだったのだ。あれほどの名選手の最後が、悲しいほど観客のいない本拠地での敗戦処理「野ざらし」登板とは……。腰痛でとても投げられる状態ではなかったそうである。野次った自分に激しく後悔した次第。

久しぶりになんとなく行った西宮球場でけっこうヘビーな「ドラマ」を見てしまった私は、その後はまたちょくちょく西宮球場に通う。なんせ球場は当時住んでいた家から2駅だし、80年代後半は清原や秋山、渡辺などを擁する西武ライオンズが大人気で、プロ野球史上初めて?パ・リーグに注目が集まったスリリングな時代だったのである。

しかし1988年シーズン終了直前。とんでもないことが発表されて、全てが変わる。それから約30年が経った、今。

西宮球場は影も形もない。

あったはずの場所にはきらびやかなショッピングモールがそびえ立ち、開業初日の集客は10万人だったそうである。西宮球場の集客を考えると、ため息しか出ない。がしかし、小綺麗な服や雑貨の下にプロ野球選手の汗とドラマが封じ込められている事実は、消し去るわけにはいかないのだ。そんなこと考えてショッピングしている人はいないが。

阪急ブレーブスもまた、影も形もない。プロ野球自体がなくなったわけではないので普段はそこまで思わないが、昔のプロ野球の記憶が湧き起こったときに「そのチームも本拠地球場も存在しない」というのは、思いのほかきついものである（80年代に関西に存在したパ・リーグ3球団とその本拠地はすべて存在しない）。

それでも。合併や移転という形で、失われたチームの遺伝子は現在に至るまで受け継がれている。ファンの記憶にある限り、かつての野球チームや選手が忘れ去られることはないだろう。それが野球ってものだ。失われた球場は脳内で再現するしかないが、仕方がない。想い出話は、ほどほどにするべきである。我々は目の前に存在する野球を見続けるだけだし、これからも私はそうするだろう。

球場があったことを示す形跡は何もない。ショッピングモールの映画館横に球場の模型や記念品が展示されているのが、せめてもの慰めか。特に球場の模型はよくできていて、今でもオールドファンが貼り付いて見入っている光景によく出くわす。彼らの目には、山田のアンダースローと福本の盗塁が見えているに違いない。

球場の形跡は……ひとつだけあった。ショッピングモールのやや西にある小さな橋の名前はいまだに「球場橋」のままである。それはそれで、切ない。

＊山口高志　1950年生 神戸市立神港高～関西大学～松下電器～阪急
最終登板は正確には1982年9月3日西武戦の最終回。1イニングを5安打2四球で7失点を喫し、試合の最終スコアは3―16。審判にまで「頑張れ」と励まされた時点で山口は引退を決めたという（「君は山口高志を見たか　伝説の剛速球投手」鎮勝也・著／講談社より）。

走れ走れ福本

私の好きなバンド「くるり」の新作に「野球」という怪曲が収録されており、その中に出てくる「走れ走れ福本」というフレーズを聞いて、やはり福本コラムは入れたい！と思い、2003年のコラムを持ってきました。福本さん(ふくもっさん)は私の憧れの男です。どこから見ても「そこいらのおっちゃん」が、実はとんでもないレジェンドだというカッコよさ。偉そぶらない、人間としてのゆるうい温かさが福本さんにはあるんですよ。昭和のパ・リーグの良心。リスペクト・福本！

いにしえの西宮球場の外野席で。レフトを守っていたウィリアムスへの人種差別的な野次を聞いたセンター・福本がくるっと振り返り「今言うたんだれや！」とフェンスを乗り越えんばかりの勢いで走ってきたときほど、福本さん（ふくもっさん）を身近に感じたことはない。そして、昨年初めて訪れた東京ドーム内の野球博物館で。展示されてライトアップされていた939盗塁達成時のカンガルー皮スパイクと偉大な業績を示すパネルほど、福本さんを遠く感じさせるものはない。

愛すべき「そこいらのおっちゃん」キャラと球界での偉大な業績が、脳内でうまく合致できないのである。以下がその偉大な業績（歴代順位は2003年当時）。

通算得点：1656（歴代2位）
通算安打：2543（歴代5位）
通算二塁打：449（歴代1位）
通算三塁打：115（歴代1位）
通算盗塁：1065（歴代1位）
シーズン盗塁：106（歴代1位）
1試合盗塁：5（パ・リーグ1位）

福本豊の20年の実績は、こうして見ると「ぞっ」とするほどすごい。ここまでのレベルの成績を残した選手なら、現役のときはもちろん「俺様」「神様」振る舞いで、引退後もどこぞの監督・コーチやらご意見番やらに収まって、周囲に気を使わせてその後の人生を過ごしそうなものである。まあ、大抵は。

しかし。2003年正月のテレビ画面から目に飛び込んできたのは！「とんねるず・石橋」がショットしたゴルフボールをグラブでキャッチしようと、往年の足運びでグリーンを嬉々として右往左往する福本の姿だったりするわけだ。福本さんっ。しかもこういう扱いは引退したからってわけじゃなく。現役バリバリ時代（1983年4月）にかの有名な「馬と競争」という前代未聞のイベントを球団に頼み込まれ、「ええよ」と出場（蓑田は出場拒否）。イベント後（結局、嫌がって馬は走らず）さすがの福本も見世物にされて怒っているのでは？と群がったマスコミに、一言。

「ウマに勝っても、この前、馬券でボロ負けしたから、損しとるんや」

そういう脱力エピソードに事欠かない福本を笑うのは簡単だが。いつも笑いに包まれた人間こそが真の偉人であるという真理に気づくのは、ある程度の人生経験を積んでからなのである。厳しいプロの世界ですんごい実績を残しながら、これほど肩の力の抜けたおっさんがいるだろうか？そこには虚勢もなければ虚栄もない。あるのはただ、常にリラックスしてる福本という人間そのものなのである。

ブレーブス同期の山田や加藤秀と違い、実力で這い上がって来た福本。なのに彼の数々の逸話には、涙も人生訓もない。大きな故障もなかったので、復活ドラマもない。ちゃあんとオチのあるネタだけに満ち満ちているのだ。

誰もが知る代表的な有名エピソードだけでも次の通り。
・国民栄誉賞を「立ちションできんくなる」という理由で辞退
・盗塁のタイミングはお客さんが「走れ」言うたとき
・阪急の身売り発表を「どっきりカメラ」だと思っていた
・上田監督がスピーチで言い間違えたから引退する羽目になった
・最後のユニフォームは誰かにネコババされた

現役時代に悲壮感がなかったのも、故障をしない強靭な体と、類まれなる走力、高度な技術に裏づけされていたからなわけで。それはもう、裏では常人には思いもつかない自己鍛錬があったはず。しかしグラウンドを離れると、みんなをリラックスさせる「そこいらのおっちゃん」に戻る。これはもう、男として最高レベルやんか。

西武球場で達成した盗塁の世界記録（当時）も、その記録の凄さと達成のあっさりさ、舞台のB級さのチグハグ感が味わい深くて。王貞治ホームラン世界記録の国を挙げての大騒ぎなんかに比べちゃうと「パ・リーグやからしょぼいな」なんて当時は思ったけど、今思うとそれこそが福本さんの魅力のすべて。「居酒屋でおっさんが飲みながら、チラシの裏でヒトゲノムを解析してしまった」みたいな痛快さがあるのだ。

とにかく。この歳になって「福本て、男としてめちゃかっこええ」とつくづく思う。やるときはやる。すごいことをやりながら、いつでも「くっくっく」と笑ってる。そして、ぼーっとしてるときは、本当にぼーっとしてる。「三盗なんて簡単やけど、意味ないし、やらんかった」という福本は、二塁上ではマジぼーっとしていたらしい。その気になれば、もっと記録は伸びたのに。素敵だ。

引退後、関西ではラジオ・テレビの解説者として、カルト人気な福本。解説が福本ならどんな試合でもという人も多く「福本解説試合日程表」なんてのが望まれるほど。私はそれを「靴下脱いで野球見てるみたいな解説」と呼ぶが、「絶叫と説教」放送に慣れた関東の巨人ファンに一度聞いてもらいたい。

・阪神の貧打の理由を聞かれて
「去年までわしがコーチやけど？」
・フェンスをよじ登ってのキャッチが得意でしたねと言われて
「わしは猿か」
・ボールを握り損なってエラーした野手に
「ババつかみやったね」
・雨天コールド勝ち成立直前のタイミングで四球を選んだ打者に

「選球眼はええけど、頭悪いな」
・今日の試合の展望を聞かれて
「ぜっんぜんわかりません」
・野球キ＊ガイという発言をたしなめられて
「トラキチはええの？」
・死球はやはり痛いのかと聞かれ
「きゃーん　きますよ」
・試合が長引いて
「加古川より西の人、帰られへんね」
・亀山のことを
「こいつ」

福本さんの質感は、昭和の時代によくいた、人懐っこくてだれかれ構わず優しいおばちゃん。それが球界のレジェンドなのがええなあと思うのである。最後に福本さんの本質に迫る、私が子どものころに目撃したちょっとええ話をご紹介しておこう。

西宮球場の選手通用門はまったくオープンで、駐車場あたり（阪急ブレーブスこども会の石碑のうしろ）で待っていれば、球場入りする選手と簡単に会えた。その日も私を含めて何十人かの小学生が「クラウン」から颯爽と現れる山田や、マイクロバスから降りてくる選手たちをつかまえようとしたのだが、どの選手もおざなりに2、3人にサインするだけで逃げてしまう。当時の選手は、そんな感じ。

と、子ども達のうしろのほうから「どいてんかぁ～」と声がする。振り返ると、なんと福本選手。歩いてきた方向から見て、その日は阪急電車で来たようだ。あっという間にサインをねだる子どもに取り囲まれ「わかったわかったて。並んでな、この線に沿って並んでなー」と言いながら即席サイン会を始める福本。子どもというのはすぐつけ上がるもので「福本、もっと走れやー」とか叫ぶ。が、福本はあの調子で「あぁ、もっと走らなあかんなあかんな～」。

いかにもファンサービスです！ていうのでもない。契約条項の義務だからという感じでもない。福本はタバコでもくゆらすようなゆったりした動作で「あ！またおまえらか～」と顔なじみの子どもに声をかけながら、当たり前のようにサインを続けるのである。子どもらにただよう空気は「スターからサインをもらう」というよりはおっちゃんに「ラジオ体操のスタンプをもらう」て感じなのに。完全に子どもをもリラックスさせてしまう、恐るべき世界の盗塁王。それが福本。

中には、鉛筆でサインさせる子どももいる（それは私。そのうち消えちゃった）。球場周辺には学習塾がたくさんあり、そこから駆けつけて蛍光ペンでサインさせる子もいる。いちびって、福本をたたく子もいる。でも福本は「あ～こらこら」と言うだけで、30分ほどもサインを続けるのだ。

子どもはアホなので、あまりにも普通のおっさんからもらったサインにありがたみを感じていないというのに。そして、実は試合を見に来たわけでもないのに。わけもわからずサインをもらってる子も、多かったのである。

ようやく。「もう行かんと、怒られるからな〜」と言いながら、通用門に向かう福本。が、ふと立ち止まる。そして、大きい子に埋もれて「もじもじ」下を向いていた阪急の帽子をかぶった小さい子にまっすぐ近づいて

「はい、ぼくにもサインしたげよな」

福本はその子の帽子を取ってさらっとサインし、口をあんぐり開けたその子の頭を撫でて立ち去ったのだ。投手のどんな小さな動きも見逃さない、と言われた盗塁王の目。試合前ののんびりした空気の中でも、福本の目はその子の胸に光っていた「7番」バッジを見逃さなかったのか？いや違う。

「福本のサインがほしいなぁ」という、その子の心のシグナルを見逃さなかったのだ。

藤井寺歴史探訪

失われた球場は西宮球場だけではありません。近鉄、南海の消滅に伴い、大阪球場、日生球場、そして藤井寺球場と関西のパ・リーグの痕跡は順次消滅していくことになります。このコラムは、2003年にまだ行ったことがなかった藤井寺球場に行ってみた紀行文です。その3年後には取り壊されたのですから、行っておいてよかった。そのころは大阪ドームの経営危機は叫ばれてましたが、まさか近鉄球団とこの球場がなくなるとは誰も夢にも思ってはいませんでした。ところで、オリックスは、一軍は「オリックス・ブルーウェーブ」、二軍は「サーパス神戸」と、チーム名とユニフォームが違うという、今から考えれば斬新なことをやってましたなあ。

日本中の注目がヤンキース対マリナーズの松井・イチロー対決に注がれる中、その日私がいたのは「藤井寺球場」。経営危機で大阪ドームの存在が危うくなっている中、近鉄は本拠地を藤井寺に戻すという話があるとかないとか。そういえば噂の藤井寺球場には行ったことがないなあ、というわけで、思い立ってオリックスの二軍・サーパス神戸と近鉄のファーム試合を見に行ってみたのだ。

阪神間に住む人間にとって、藤井寺という土地は心理的に「チベット」くらい遠い。言葉は通じるんだろうか？　いきなり平野光泰（元・近鉄）みたいなおっさんに張り倒されるんじゃなかろうか？　大阪駅からでも、環状線、近鉄南大阪線を乗り継いで小1時間かかる実際的距離もさることながら「街じゅうのおっさんがパンチパーマにサンダル、腹巻き姿にちがいないっ」ちう、いわれのない先入観が、これまで気の弱い私からディープサウス大阪を遠ざけてきたのだ。

いよいよ藤井寺駅に電車が近づいてくると、あれまあっさり車窓から見えてきた、藤井寺球場。古ぼけたコンクリ壁にハゲかけた赤と青ストライプが時代を感じさせは、する。でもなんか、球場が町のトーンに馴染んでいるな。駅から球場はすぐ。まだ開門前だったが、球場前にはすでに赤白の近鉄帽子をかぶったヤバそうな人がちらほらと。やっぱり、パンチはともかくサンダル率100％ではないか。靴下にサンダルである。アウェー感満点のなか、駐車場におなじみのサーパス神戸の遠征バスを見つけ、ほっと一息ついて周囲を見回すと。お！これが住民の反対を押し切って付けたという「後付け照明塔」か。やたら足が長い鉄骨が球場周辺に林立し、異彩を放っている。

試合開始1時間前に「なんとなあく」開門し、さっそく中へ。入場料300円を払ってしまったが、ゲートに係員がおらず、みんな「うやむや」にするっと入っていく。たぶんチケット買わないでも入れたと思うが、300円は私の愛する「屋根なし球場」保存に役立ててくれたまえ。

グラウンドやスタンドは、案外きれい。かつてマネーちう泥棒外国人が「汚い」ちう理由で帰国してしまったのが、ウソみたいだ。まあロッカーとか内部設備の状況は分からないが。ホームベースうしろに描かれた近鉄マークは、昔の岡本太郎デザインのままでカッコいい。なんといっても今や希少なアナログ・スコアボードが素敵だ。スタンドからグラウンドが見やすい。めっちゃ高い防護ネットは、邪魔やけどね。

この日は快晴。おそらく八尾飛行場から飛び立った「ぶーーん」というセスナの懐かしい音が高い空に響きわたり、時代に置き去りにされたような、のどかな懐かしい気持ちになる。セスナ、久しぶりに見たな。

グラウンドではちょうどサーパス神戸が打撃練習中。とりあえず適当な席に座ったら、近くで#27背番号を付けた不良高校生のように眉毛のない近鉄選手がスタンドに入ったボールを拾っている。そんなことさせられるんや、近鉄の若手は。ファンにサインを求められると「うぃーっす」と応じたり、謎の「日傘の女」とぼそぼそ言葉を交わしたりしているこの少年、選手名鑑で調べると明石出身で神戸国際大附属高のエースで甲子園にも出た19歳の新人・坂口智隆（＊）君だとか。外野手登録か。ほーん、覚えておくぞ。
その後、両チームの守備練習が行われたのだが、びっくりしたのが、近鉄の内野ノック！ノッカーの立石コーチが耳をそばだてる動作をしたら、各ポジションの選手らがグラブを突き出して「サード！」「ショート！」「ファースト！ファースト！」て大声をいっせいに上げるのだ。「ちょうだいちょうだい！」て感じで。一番声が大きかった子に「よしっ！サード！」てな具合にご褒美ノックを打ち込むわけ。威勢がええというか、学生のノリやなあ、しかし。

練習が終わると、静かに試合開始。いきなりサーパス神戸のトップバッター・早川の猛烈なゴロが三塁線を破り「二塁打！」と思ったら、塁審の良川（元・近鉄）に当たってシングル止まりとなる。これが一軍の試合なら審判にごうごう非難で大騒ぎだろうが、良川はスタンドにまで聞こえる声で「ごめんごめん！」で、事態は収拾。しかし、ここからの早川はすごかった。すたたた（本当にそう音が聞こえる）と二盗を決めた後、四番・竜太郎のヒットで素晴らしいスピードとベースランニングでホームへ！思いのほかの好返球できわどいタイミング！しかし早川はブロックするキャッチャーの足の間にずばっと右足を突き刺し、滑り込みもせずにセーフにしたのだ。めっちゃくちゃプロフェッショナルな走塁！チェンジ後レフト守備についた早川に、レフトフェンス後方にあるサーパス神戸ブルペンからやんやの喝采。（しかし早川は八回に一塁へ駆け込んだ際、足を故障する。とほほ）さらに四回には、竜太郎、相川、牧田などが安打を集中し、瞬く間に４点を取るサーパス神戸。一度に4点取ったサーパスを「初めて見た」。びっくりした。

「ガッツ笑顔　石渡軍団」

一塁側後方スタンドに掲げられた、このわけわからんセンスの横断幕。何度見ても「ガッツ石松と猿軍団」にしか見えないし、その絵すら頭に浮かぶ。その横断幕のもと、藤井寺牧場の子牛ちゃんたちはどうだったのかというと、あの獰猛な親牛たちとは、似ても似つかずの貧打ぶり。投げるたんびになぜかくるっとスコアボードを向きズレぎみのズボンを引きずり上げて打者に謝罪するかのように帽子を取る……一連のおなじみのポーズをせかせか繰り広げるサーパス神戸の今村投手の前に、「もー」とも鳴けずに凡打の山（今村はこの好投が認められ、3日後に一軍昇格）。最終回に近鉄ファンからも「やんや」の喝采を受けて登板した「ぴっかり佐野」からようやくバッテリーエラーで1点を取っただけの、石渡軍団。

と。完封を免れてちょっぴり盛り上がった近鉄ベンチに冷や水を浴びせる、ネット裏のおっさんの強烈な野次。

「んなことで喜んどったら　あかんのじゃーぼけぇー」

うわ。すっげー。すぐさま近鉄・鈴木貴コーチが「ほんま、そうや」と大声で返し、近鉄ベンチは沈黙。うーん、子牛たちはこうして、鍛えられていくんやね。サーパスの竜太郎も自打球当てて倒れたとき「痛かったら、いねや！（「帰れ」の意）」と野次られて「ぴょん！」て起き上がっていたしな。藤井寺では主役はスタンドにいるのだ。

この日は平日で200人くらいしか観客はいてなかったけど、かなり通いこんでいる風の人ばかり。男女問わず「今起きてそのまま来ました」なジャージにサンダル姿が大多数。それでもって、みんな顔見知り。おばあちゃんが、「ほい」「ほい」と知り合いに昼間からビールを配ってたりの、近所の社交場。かといって、閉鎖的なことはぜんぜん無くて、他人のことはほっといてくれる。皆さん、てんでばらばらにくつろいでいる空気で。誰が吹いてるのか、ひとつの音程しか出ないおもちゃの笛での応援が笑いを誘う。「ぷっぷぷっぷぷー♪ぷひ」というチープなミニマムさが秀逸だ。♪ワンノートサンバなら成立するのに。

で。やはりここはディープサウス大阪。みなさん、普通にしゃべってる声が、でかいのなんの。反対側のスタンドのしゃべり声が電車の向かいの席くらいの音量で聞こえる。「オリックスの球場はなあ、行ってもロクなもんくれへんで。マクドのコーラS券なんかもろて、誰が使うねん！」あ、それ私、ここ来る前に使いましたけど。

試合後。せっかく藤井寺まで来たのだからと、周囲の古墳群を散策してみた。

球場裏の住宅街を抜けていくと、そこはいきなり駅周辺の喧騒が嘘のような、静謐な古代の異空間。木々の枝はスローモーションのように音もなくたゆたい、古墳の稜線をながめていると時間の感覚を失う。目の前を、足の長い白い鳥が「つー」と横切っていく。

藤井寺に対する先入観を、改めなければならない。そこは厳かな、いにしえの息吹流れる、歴史の町であった。パンチパーマとサンダルの町ではない。

なかなか素敵だった藤井寺球場。もし将来使わなくなったら「古墳」として保存すればいい。名称はもちろんここから世界に旅立ったあの投手を称えて、「野茂古墳」でお願いしたい。

＊坂口智隆　1984年生　神戸国際大附属高〜近鉄〜オリックス〜ヤクルト
ご存知のように球団合併後、オリックスのスター選手に。シュアな打撃と派手なセンター守備、やんちゃなキャラでファンを楽しませたが、成績が低迷した2014年オフに契約でもめて退団し、新天地ヤクルトで生き返ったように大活躍。このパターンは他にも多々あり、これもチームの伝統か。いつも試合中にセンターの守備位置から振り返ってじろじろスタンドの女性客を見ていた坂口が懐かしい。交流戦のヤクルト戦ではいまだにオリックスの坂口ユニで駆けつけるファンも多い。

噂の悪ガキ・ノリと松坂

その昔、パ・リーグの魅力は、豪快でおおらかな野球にありました。今でもその名残は若干ありますが。MLBで成功する選手も多く、パ・リーグ選手はのびのび才能を伸ばせるイメージがあります。これは2002年の5月に珍しくテレビ中継を見たことを書いたコラムですが、この二人はほんま「悪い」です。ノリはFAで迷走する直前の全盛期でした。そういやこのころ、やたら「真っ向勝負」がもてはやされていましたね。そしてボールはよく飛びました。

すごいもんを見た。

ブルーウェーブとは無関係の試合だが、そんなことはどうでもよい。大阪ドームの近鉄VS西武戦。中村ノリが松坂から打った2本目のホームランは、なんとバックスクリーン超え！最近の中村ノリは劇画みたいな活躍だが、あの松坂を一人で撃沈するとは。とんでもないなあ中村ノリは。

1本目のホームランは、あんまり好みじゃない。よくやるノリの流し打ちホームラン。守備でよく言われてる「案外器用」ってやつ。器用のスケールがすごいけど。しかししかし、最高のシーンは2本目。このホームランには、伏線があると分析する。（以下、カギカッコ内全て妄想）

今シーズン当初から、新ストライクゾーン（高目を広く取るようになる）をめぐってノリ曰く
「んなもん、松坂ゾーンやんけくそ。でもわしは高目は好きやで」

松坂は、強気な天才だ。これを聞いてむかっとしたと思う。

「いつか勝負したろやないけ、おっさん」

で。その一球。西武のキャッチャー・伊東の構えは大げさに内角低め。なんちゅうても1試合に2本は打たれてはいかんからね。西武野球は広岡の遺産。無謀な勝負はご法度だから。

でもノリは、明らかにいたずらっぽい目で松坂を誘うのだ。

「さっきはせこいホームランで悪かったのー。今度は高目の一騎討ちしようや！な！ずえーったいに思いっ切り振るから！な！」

松坂はノリがいい。丸い鼻の穴を広げて、誘いに乗ってしまう。

「この勝負、乗った！管理野球ごめんなさい！」

そして高目の松坂ゾーンに速球を「うりゃー」。中村ノリは目ぇつぶって「おぉりゃりゃー」。

かっきーん………アッパースイングどころの話ではない。試合前にノッカーがキャッチャーフライ上げたみたいなそのスイングの軌道。ボールはもう打った瞬間、見たこともない角度で舞い上が

り……なんとバックスクリーンを超えていく。

このあとの想像を絶する光景が、私の度肝を抜く。

打席とマウンドでそれぞれボールの行方を確認したノリと松坂は、お互いに目を合わせて、なんと肩をすくめて笑ったのだ。試合中に。信じられる?完全にイタズラ共犯者の顔。自分らがしでかしたイタズラのあまりの結果に驚いてるっちう。「がはは」と笑いながらベースを一周するノリと、グラブで口を隠す松坂の姿!中継を見てた私も、笑い転げた。ディス・イズ・パ・リーグ!なんだか、両軍ベンチもみんな笑ってる（西武・伊原監督以外）。

セ・リーグではこうはいかない。この前の巨人・阪神戦では、ちょっとした不用意な配球をめぐって大騒ぎ。投げた虎投手も投げさせた虎捕手も、解説者どころかファンにまで叱られてかわいそうに。ああいうのはなんか苦手だ。ＯＢもうるさいしなあ。

星勘定もおおざっぱ、勝利の方程式なんかくそ食らえ（あくまでイメージです）。これがパ・リーグの魅力やろうし、生き残るチカラだと私は思う。こういう楽しいシーンをどんどん見せてほしい。

しっかし、ほんっまにノリと松坂は、最高やで。悪ガキめ。

＊中村紀洋　１９７３年生　大阪府立渋谷高～近鉄～ドジャース～オリックス～中日～楽天～横浜
中村ノリの野球人生は、この２００２年にＦＡを獲得したところから「迷走」を始める。ニューヨーク・メッツとの不可解な交渉決裂に始まり（筋を通すの通さないの）、球団合併によりオリックスの選手になったのに渡米して1年マイナーでプレイしただけでやっぱりオリックスへ復帰したり。こういう経緯と近鉄色が強すぎたためかブルーウェーブ・ファンにしたら違和感しかなく（個人の感想です）、怪我ばかりするノリに球団も愛想を尽かし、２００７年に契約交渉でモメにモメて退団。しかし、その後も中日や楽天、横浜で生き延びて結局ＮＰＢでは22年プレイした実力はさすがなものがある。

潜入！ダイエー福岡店

２０００年前後から現在までずうっと、オリックスは九州の暴れん坊・ホークスにボコボコにされ続けているイメージがあります。ダイハード打線（小久保・松中・城島・井口）のころは特に。このコラムというかコント脚本は２００３年8月13日に勃発した「王シュレット」事件（フジテレビ番組内で山口智と宮迫が演じた王監督をおちょくったコントが本人および関係者の逆鱗に触れた大騒動）にインスパイア?されて、8月1日にグリーンスタジアムで29点取られた試合を現地で最後まで見届けた鬱憤を晴らそうとして書いただけなんです。許してください。当時の選手を覚えている人にしか通じませんけど。とにかく当時のダイエーはオリックス相手となると、おちょくりたくなるほど強すぎたんですが、すでに身売りの話が出てました。「ダイエー」という言葉自体がすでに、郷愁ですな。

（注）この作品は、筆者の脳内妄想であり、実在の人物や団体とは関係ありません。

強いしお客はわんさか来るのに、なぜか経営の苦しい「ダイエー福岡店」。ドーム型店舗にもかかわらず花火でも打ち上げちゃうそのサービス精神で連日パ・リーグにあるまじき動員を誇っているのに、タカのくせにハゲタカ（ファンド）に食われそうだとか。この秋にはおそらく「鷹虎対決」ちう見世物小屋級の大イベントも控えてる、ダイエー福岡店の将来やいかに！たこに！

不安顔なスタッフがミーチングに召集されてる現場に、踏み込んでみるたい！

鳥越（ベテラン・パート店員）「みなさーん、なんだか王店長がご機嫌ナナメらしいでげすよー。眉間のシワが後頭部にまで達してたりして。うひっうひっ」

城島（フロア・リーダー）「なにー！トイレの便座に店長の顔が描かれてないか調べろや！謝罪じゃ謝罪じゃ！」

井口（サブ・リーダー）「鳥越君、キミ古株かなんかしらないけど、パートだからね、社員じゃないからね。パートのくせに大事なとこでエラーするしね。あんまりそういうことばっかり言ってると、やめてもらうよ。だいいち、なぜこの会議室にいるわけ？パートなのに」

城島「お！お！お！井口先生！さすが大卒、東京人！ひゅーひゅー！そんなん言うたら、鳥越がかわいそうやんなあ。こいつお前より年上やねんぞたぶん。オーナーの学閥で出世なさるお人は、冷たいのお」

鳥越「城島さーん、もはや学閥とか関係ないんすよ。どうせもう来年にはこのスーパーは……あれ?!なんにも知らないんすか?!きゃはきゃはは。それにぼくも東京の大学出てるんっすけど」

城島「こ……こいつやっぱ、うっとうしいやっちゃ！守衛！守衛！！こいつをつまみだせー」

（鳥越退場）

脳みそズレータ＆バルデスでーす「イエッサー、ヘイ、ファッ＊ン　トリゴエー　ゲラウひあー」

城島「えー、会議を始めます。王店長からの課題はやな、えー、読むぞ。〝どんな状況であれ士気をゆるめず最後までがんばろう。外国人にだって誰にだって私の55号は破らせない〟ん?!なんせ、みんなでがんばろうっちうことかな?!うおーー！！」

和田（新入社員）「ボクちゃんのアメリカのスーパーへの配属の話はどうなるんでしょうか?!」

斎藤（配送）「こら、新人！フロアリーダーの言う事、ちゃんと聞いとんのか！そういう自分のことばっかり考えてる奴がいるから、あかんのとちゃいますか！？ソリ入れたろか！」

村松（仕入れ）「斎藤、おまえいいこと言うよ。そうだよ、ひとりひとりがチームのことを考えてだな、努力をこつこつと積み上げ……鎖骨が痛い」

大道（鮮魚）「ぼ……僕がかぶれる、もっと　でっかい帽子　をください！」

城島「くらー。せっかく村松がしみったれたええ話を始めとるのに、大道、おまえこそ自分の事だけ言うんじゃないよ、もうそれ以上でかい帽子はないんだよ。んなことより、いつも思うけどバット……じゃなかった「包丁」の持ち方が短いよ、おまえ」

井口「ちゃんとしましょうよ！みんな。秋の〝鷹虎対決・大バーゲンセール〟は目の前なんです！これでコケたらまちがいなくアメリカの資本が入ってくるんですよ。え？アメリカ？うっへっへっへー」

和田「井口さんも僕とおんなじじゃないっすか。オーナーがアメリカに行かせてくれるっていう約束があるんですよね、ぼくら」

城島「え?え?え?みんなで福岡でがんばらなあかんのちゃうんか!アクエリアス飲んでー!松中、なぁ」

松中（精肉）「そぎゃーんたい。あんた言うごつ。寺原、おまんも意見言うたい」

寺原（精肉見習）「上ん立つ人がバイトの女の子に手ぇ出したらいけんと思いますけ。わし見たけ」

本間（ほんま）「ほんま?」

井口「フロアリーダー!あんたまだそんなことやってるんですか!?」

川﨑（フロア・スタッフ）「ちぇすとう!ぼく、声かけるところだけ、やらされました」

城島「こらムネ、ななにを言うてるんや、この下っ端どもが!わしはなあ、嫁さん命　やぞ!ほらあ打席でペンダントにチューチューしてるやろ？いつもチューな！な！」
和田「そういう人、一番信用できないんすよねー」
井口「あーもう、レベルが低くて田舎臭くてやってらんない。やっぱ東京で就職すべきだったかなぁ」
城島「なにー、気取りやがって！最初からおまーは、気に入らんかったんじゃ！このボンボン野郎！」
うわー　ぼこぼこ　どすー（大乱闘）
王（店長）「やっているかね！」
一同「うわ！いきなり」
ざざざざざざ

王「なんだ？私が入ってきた途端に、全員が部屋の右側に寄ったりして」

城島「王シフトでっす！」

王「キミらの誠意は感じた！しかしダイエー福岡店の店員は今後フジテレビ〝好プレー珍プレー〟には出さないからそのつもりで」

一同「ひええ！それじゃあプロ野球に入った意味が……女子アナとの結婚が……」

王「ミーチングおわり！お帰りはあちら！」

出口（でぐち）「ここから出てね」

お粗末

KANSAI CLASSIC

私も含めて関西のオールド・パ・リーグファンは、球団身売りや合併に翻弄され続けました。どんな理由があったにせよ、阪急・南海・近鉄が揃って消滅したなんて、いまだに何かの冗談としか思えません。電車は走っとるのに！そんなオールド・ファンの心をもてあそぶかのように、最近のオリックスは盛んに選手が復刻ユニフォームでプレイするイベントを行っています。とても複雑な気持ちですが、まんまと復刻グッズを買い込むファン心理の悲しさです。オリックス球団の歴史は「復刻ネタ」だけには事欠かないないんですわこれが（まだ背番号が斜体のブルーウェーブは復刻してませんが）。２０１７年に行われた「KANSAI CLASSIC」というイベントのコラムです。暗い過去の歴史がCLASSICの一言で片付けられている気はします。

オリックス・バファローズはゴールデンウィークに「KANSAI CLASSIC 2017」を実施。まずＧＷ序盤のソフトバンク・ホークス戦では近鉄バファローズ（藤井寺時代）、ＧＷ終盤の日本ハム・

ファイターズ戦では阪急ブレーブス（1980～1984年）の復刻ユニを着用し、場内演出も含めて京セラドームが80年代テイストで彩られた6試合がくり広げられた。

特に「近鉄VS南海」は両チームが復刻ユニで戦うナイス企画で（ホークスはドカベン香川が着て失笑を買った1980年モデル）、当時の応援歌や松田聖子や田原俊彦のヒット曲が流れる場内は、80年代テイスト満点。でも阪急ブレーブス・ファンだった私としては「よそのチーム」の試合を眺めているような、妙な気分だったりもしたのである。

んが。場所はドーム球場。ユニは当時のものでも、球場の雰囲気はまるで違う。大阪スタヂアムの「恐怖のスタンド急傾斜」や藤井寺球場の「恐怖の野次」などを思い出しても、目の前の現実は30うん年後の「今」なのだ。よくよく見れば、復刻ユニを着ている若い選手たちの顔は「ゆとりですがなにか?」で、屈託がない。「しばきまわすどわれー」「石鹸くらい置いとけくら（大阪球場の選手風呂には石鹸がなかった）」と叫んでいた昭和のパ・リーグ野武士の「濃いぃ」面相ではないのだ。そういえば、藤井寺球場は当時私の住んでいた西宮からは遠かったのだが、近鉄のもう一つの本拠地「日生球場」は大阪市内だったのでよく行った。球場内外の光景何もかもが「戦後感」満点だったこの球場は異様に狭く、近鉄ファンが敵のホームランには「詐欺じゃー」と叫んでいたのを思い出す。

当時を知らない若者ファンに、こういった復刻ユニがどう映ったのかはわからない。が、京セラドームのスタンドには嬉しそうに復刻ユニのレプリカを着込んでいるおじさんたちが目立ち、なんのヒネリもないフレーズ（例：ここで一発頼むでぇ）を大声で叫ぶ「オールドスタイル」で勇ましく応援していた。ＧＷということで親子連れも多く、子どもに当時の球団事情を教える微笑ましい光景もあった。しかし「身売りって何？」と聞く子どもに「み、身売りてな、身売りてなあ……」と絶句するお父さん。

その昔、関西には私鉄が所有するパ・リーグ球団が３つも存在し、本拠地球場もろともその全てが魔法のように消滅した。なんてことを若い野球ファンはよく知らないし、過去をうまく現在と結びつけて理解できないのである。親会社が変わるだけならまだしも、リーグ再編のくだりは当時を知るファンにも説明が難しいし、説明時の精神的苦痛がとても大きい。ので、関西の小学校の歴史の授業には「パ・リーグ史」を加えていただきたい。

私にとって。そりゃいつもながら、阪急ブレーブスの復刻ユニは嬉しかった。ＧＷ中のチームの調子はそれまでの「快進撃」が一転、「あら〜」な状態だったのだが……。最後の最後に阪急ユニがめちゃ似合う駿太がサヨナラヒットをかっ飛ばして（その瞬間場内に流れたのがオフコース「さよなら」！　手が込んでる）阪急ユニでの３連敗だけは阻止して「KANSAI CLASSIC 2017」は大団円となったのである。

さて。今回も多数の復刻チームグッズが発売されて、まことにまことに球団の営業サイドは罪深いと言わざるをえない。私もレジのお姉さんが混乱するほどの「貢献」をさせていただいたが、毎回その復刻アイテムが秀逸で、「やめてー」と言いたくなる。マジで、やめて。

スタンドにはそれらを身につけたファンもたくさんいたが、おじさんが阪急ユニ着て阪急帽をかぶると、全員「今井雄太郎」に見えてしまうのは、私だけだろうか？　ともかく、ユニの「ズボン・イン」だけはやめたほうがいいと思う。

始球式の山田久志さんも含めて（笑）な。

野球観察日記

二階席のボールハンター

空いているグリーンスタジアム神戸の二階席（特に花火の見えにくい三塁側）は、私の野球観察の主な定位置でした。太公望にお気に入りの釣り場があるように、かつての私はナイターで一人観戦のときは必ずその場所にひっそり身を沈め、フィールドに釣り糸を垂れていたのです。周囲50席くらい、独り占めで。応援でもない、傍観でもないその観戦スタイルを私は「野球観察」と名付けました。観察と言っても、私の場合その先に「妄想」が広がる文系脈絡ですが。観察対象はフィールドだけではありません。スタンドにも本当にいろいろな人々がいます。これは特に私が注目した、ある人物の観察結果。２００３年かな。当たり前のようにブルーウェーブが二桁失点していた、あのころです。

私が「ヘブンズ・シート」と呼ぶ、グリーンスタジアム神戸の2階席。心地よい風に身を任せ、暮れなずむ山々と遠い街のきらめきを見やりながら眼下のフィールドを眺める、それが生きがいなのじゃ。「あー……野球やっとるわー」ちう、ロー・テンションの観客だけに許されたその聖地ではな、どっちのファンかも判然としない人々が、たぶん自分の家以上にリラックスして、誰の邪魔もせずに思い思いに過ごしておるのじゃ。その大部分が一人で来ている2階席の住人の、それぞれの人生。それに思いを馳せるのも一興での。人のこと言ってる場合ではないんじゃけどの。今日は、ある不思議な青年の話をしようかいのう。

先週の水曜日の近鉄戦。17点だったか18点だったかを取られた試合だが、まぁどっちでもいい。私は三塁側の2階席でトランス状態になりながら「前進守備でつんのめってる大島（公一）のつま先はタラちゃんみたい」なんてことを、楽しんでいた。

2階からだと、守備隊形が俯瞰できてよい。

と、そのとき。近鉄の左打者のファールボールがすぐ近くに飛んできて、ある兄ちゃんが表情も変えずグラブで「ばしっ」とキャッチしたのだ。それはそれは、さりげなく。あまりのさりげなさに、見過ごしてしまうほどの。普通、ファールボールを観客がダイレクトキャッチしたら「わーい。わーい」てなもんで、周囲も拍手なんかしたりして、盛り上がるものだが。そいつの場合は違う。周囲もざわつかない。彼はまるで野手が凡フライを「処理した」ちう顔で、さっとボールをポケットに入れて、なんともう次の投球に備えているではないか！表情も変えずに。

ん？あいつ、見たことある！

思い出したのだ。彼が「しらっ」とファールボールをキャッチするところを見たのは、これが初めてではないってことに。いつかも同じような光景を見て、軽い違和感を覚えたことがある。そうだ！彼だ！そこから試合終了まで、私の目はもう、彼だけに釘付け。

なぜかMLBのジャイアンツの帽子を目深に被り、無地Tシャツにジャスコで売ってるようなチノパン。そのまま生まれてきたかのように、左手には常にグラブ。マジメで小柄なバイト青年風情の彼は、しかし実に敏捷な身のこなしである。試合中ずうっと右打者なら一塁寄り、左打者なら三塁寄りの通路に音もなく移動し、全球ファールに備えているのだ。さりげなく無表情に、仕事のように。どんな野手よりも長い守備時間と広い守備範囲。ちょうどバックネット切れ目あたりの両サイド通路が彼の定位置で、なるほどそんなに数多くない2階席へのファールは、そのあたりに飛んでくる確率が高い。もちろん打者によって微妙に位置を変えもする。迷いのない冷徹な横顔は、「ハンター」そのものである。

打球への反応は驚くほど、早い。ブルーウェーブのライト・葛城より、1秒は早い。打球音と同時に体が的確な方向へ動き、2階席へのファールの着弾点の半径5メートル以内には、かなりの確率で彼の姿があるのだ。すげえ。

驚くべきことに私が観察を始めてからしばらくして、今度は一塁側でまたダイレクトキャッチ！さらにその少し後で、座席で跳ね返ったボールを振り向きざまにキャッチ！である。マジでギョッとする。確認できただけでも、この日の収穫が3個なのだ。3個て！野球観戦に来て3個もファールボール取る奴って一体……。いくらスタンドがガラガラでライバルが少ないとはいえ。

プロのボールハンター？

これほど2階席を走り回っているにもかかわらず、彼の存在はまったく目立たない。音もなく忍者のように移動し、静かに確実に獲物をゲットする。ガツガツと集団でボールをほしがる普通の子どもたち（たぶん無料券で入場）は、みっともないほど目立った上に1つも取れず、ブルペン横で「ボールくださーい」と選手に叫んで係員に追い返されるのが関の山。ボールハンターの場合は、頻繁に行う守備位置の移動時はスタンドの通路を使わず球場内部の通路を使うなどして、徹底して目立たないようにという配慮が感じられる。私が注視していてもその姿を見失うのに、ファールが飛べばそこには必ずひょっこり「彼」がいるのだ！ひええ。

決して人を押しのけて取ろうとはしないし、無人のスタンドを点々とするボールなどは、追いかけない。みっともない姿は見せず、ただダイレクトキャッチに賭けている。それがボールハンターの流儀なのだ。観察を続けていると、彼の全体像がだんだん浮かび上がってきた。

本当の守備の名人は、派手なファインプレーをしないと言う。ポジショニングがすべてなんだと。ボールハンターは、全打者のファール方向のデータが頭に入っているに違いない。この調子で狩猟行為を行なっているとすれば、いったいこれまで何個のファールボールを獲物にしているのか？そしてそれは、いったい何の代償行為なのか？全く興味が尽きない。

そして私はゲームセットまでずうっと、彼の人生に思いを馳せて妄想を爆発させていたのである

（試合見ろよ、試合を）。以下、妄想結果。

（グラブをしたまま）自宅に帰った彼は、「また球場かい？」と聞く母親に無言で頷き、とんとんとん！と階段を上がって、自分の部屋にすべりこむ。帽子を取り、今日の獲物を大事そうにポケットから出す。そしてきちんと整頓された机の引き出しからノートを取り出し、小さい字でなにやらしばらく書き込んだあと、ハンターの習性として壁に獲物を飾るのだ。今日は3個。

そう。彼の部屋の壁一面には「公式球」がみっしり。

四方をボールに包まれた空間で陶然とする彼はこの日初めてうっすらと笑い、今日の狩猟について回想でもしているのか、目を閉じて物思いに耽る。しかしそんな彼の至福の瞑想を、ドア越しにおそるおそる話す母親の声が破る。

「あした、お医者さんの日だからね」

野球場の人びと

野球場のスタンドには、実に実にいろんな人がおられます。グリーンスタジアム神戸に通っていたころはけっこう顔なじみ（お互い決して話しかけないが）もいて、過去の選手以上に思い出すこともあります。ライトスタンドでいつも寡黙に谷の10番の応援旗を振ってたあの細いお兄さん、どうしてるのかなあ？親戚だったのかなあ？とか。以下は球場で出会った人々の、ほんの一部の観察日記です。

あほらしっじいさん

私の右前に一人で座っておられる、じいさん。とにかく試合中は怒ってる。怒りまくり、である。この日のふがいない試合展開もあったろうが、ブルーウェーブの投手が打たれるたびに「こらーっ」打者が凡退するたびに「こらーっ」である。選手も「こらーっ」と言われてもなあ。

ブルーウェーブ得点のチャンスともなれば、落ち着かないのであろうか、異常にテンポの速い貧乏ゆすりが始まり、後ろの席まで伝わる。そして、その揺れと連動して持参の使い込まれたメガホンを32分音符で自分の椅子に打ち付けるのがうるさいのなんの！どう見ても痙攣？癲癇？漢字が難しすぎる。そしてチャンスが消えるたびに（チャンスは必ず消える）「んあああっ」と絶叫して周囲を恐怖のどん底に陥れる。でもイニング間にはけろっとした顔して、カバンの中身をぜんぶ出したり、入れたり、出したり、入れたり……やばい人やん。

そんなじいさん、敗戦の瞬間の叫びは素晴らしかった。吐き捨てるように

「あほらしっ」

偶然にも（というか人が少ないからか）このじいさんと帰りの駅のホームで一緒になった。「興味本位の炎」と化した私の視線の先で、じいさんはいきなりゴミ箱に迷いなく手を突っ込み、スポーツ新聞をゲット。電車内ではわざわざ向かいに座り、じいさんチェックを続ける（もっとアホでヒマな若いころなら家まで尾行したかも）。じいさんはゲットした新聞を少しだけ読んだあと、何事か呟きながら大事そうに「4つに折りたたんで」カバンにしまう。そして突如、魂が抜けたような遠い目になって静止。ぴくりともしない。それはもうぞっとするほど寂しそうな表情で。カバンから突き出したボロボロのメガホンの端っこが哀れを誘い、不意を突かれた私は思わず胸を詰まらせる。じいさんの頭の中を去来するものはなんなのか？過ぎ去った人生の先の孤独か？行き着いた先の心の空洞か？

電車は三宮駅に到着。「はっ」と我に帰ったじいさんは、席を立つ刹那にこう言い放ったのである。

「あほらしっ」

応援団非主流派

グリーンスタジアムの一塁側2階席には、こじんまりした応援団がいる。構成員はほんの数人。一応ハッピを着てタイコを叩いて、なかなか威勢はよいのだがどうにも風情がパッとしない。ライトスタンドの主流派応援団がパッとしているというわけでは、決してないのだが。

君らは主流派とはどういう関係なのだ？2階席は静かに応援したい人が多いので、他の観客はちょっと迷惑顔だぞ。

この非主流派の特徴は、みんなで声を合わせて「かっとばせー」じゃなく「リーダーが気分次第で大声で叫んでいるだけ」というところにある。つまり、応援団の体裁を取る必要がひとつもない。

「田口君、よう見ていこーぜー」

「谷君、ほうりこめー」

「葛城君、向かっていけー」

なぜか「君付け」なところは、かわいい。

しかし、ダイエーのライトに向かって「秋山ー、もっと前やー」と守備位置を指示するのが、よくわからない。そのおかげで、秋山はポテンヒット性の当たりをなんども好捕していた。そして、外国人の名前が覚えられないのか覚える気がないのか、アリアスであろうがビティエロであろうが外国人にはこう叫ぶのだ。

「アメリカー、がんばれー」

このリーダーに付いていける者は誰もいない。付いていく必要もない。おそるべし、非主流派である。

途中で帰ったファンへのレクイエム

私の後ろの親子３人連れ。話を聞いていると、珍しくお母さんだけがブルーウェーブというか野球ファンというパターンである。

父「松坂は出えへんのか？」
母「ローテーションいうもんがあるんよ。今日は出ない」
父「見たい人も多いやろ。そんなことやからプロ野球はあかんのや」
母「…………」
子「早く帰りたい」
父「洋二というんか、あの選手、外国人やのに。みんな洋二て叫んでるけど」
母「ヨージとちゃう、ジョージ。ジョージ・アリアス！」
父「庄治？」
母「…………」
子「早く帰りたい」

父「駐車場混むからもう帰ろ。負けや負けや」
母「まだ2点差やで、あんた。最後まで見たいわ、あたしは」
子「早く帰りたい帰りたい帰りたい帰りたい」

結局、母親がしぶしぶ折れてこの家族は八回終了後に帰ってしまった。そして、あろうことか九回裏に「庄治」アリアスが逆転サヨナラ3ランをかっ飛ばしたのである。家でニュースを見たお母さんの爆発炎上はいかばかりか……

家庭崩壊の様子をお伝えできないのが、残念である。

能勢の妙見さん

そのアリアスのサヨナラ3ランで歓喜に沸くライトスタンドで、ウーピー・ゴールドバーグみたいなおばさんが、私に話し掛けてくる。

「涙が出たであたしゃ。そやけどこれ、能勢の妙見さんのご利益なんよ」

「は？」

「アリアスが打てるように今日、妙見さんに祈ってきたんよ、あたしゃ」

「ほ？」

「そういやこの前、小倉が鈴木健にストレート勝負続けて打たれたやろ（妙に詳しいな）。あれはな、小倉が自分の力を過信してたんやで。神さんへの感謝がなかったわな。そやさかいに小倉の分も拝んどいたから、明日は大丈夫」

「そっかー。野球の神様て、能勢にいてはるんやねえ」

「そ。あんた、仰木監督に会ったら妙見さんに行くよう、言っといてな」

「言っとく言っとく」

「連敗中にあたしなんか、車をブルーに買い替えたんよ。そんでな、旦那が実は腰がわるうて（以下３０００文字削除）」


少しずつ、少しずつ私は後ずさりしていった。

席が見つからない人

帰巣本能が皆無、という人がいる。結構いる。私も「増改築をくり返した旅館」みたいなグリーンスタジアム神戸の立体駐車場で「本館?」「別館?」「2階?」「中2階?」と延々自分の車を探すことがある。そういう人はいったん座った席を立って売店やトイレに行った後、自分の席に帰ってこれない確率がすこぶる高い。

係員のようにグラウンドに背を向け通路に突っ立って、緊迫した顔で両手に飲み物を持って首をセンサーのように回転させスタンドの人々の顔を順に凝視している人が、そうである。どこに座っていたか、わからないのだ。目の前でこれをやられると、試合は見えないし、じっと見つめられるしで気まずさマックス。「どっか行け!」と思うが、事情は一目瞭然なので……許す。

席を離れる前に、周囲の観客の特徴を頭に叩き込むことをお勧めする。でも私は「前がハ*!」と認識して席を立ち、帰ってきたらそこら一帯「*ゲ」だらけで、固まったことがある。

ややこしいものを食べる人

球場で売ってる食べ物のコスパ問題と思うが、コンビニ食品や手料理を持参する人は多い。しかし。球場には球場にふさわしい食べ物というものがある。食べやすくて、球場らしい食べ物が。妙に所帯じみたものは雰囲気を壊すのでやめたほうがいい。特に、コンビニ食品でやめたほうがいいのは「ざるそば」や「冷やし中華」の類である。

机もない環境で、膝の上でフタをベコっと開け、分類された具材を慎重にビニールから取り出して麺に乗せようと思ったら、麺の上にさらに仕切りのビニールがかかっているのでそれを引きずり出して、ダシの袋を細心の注意で開けて投入して……の複雑な過程で、たいていの人は「エラー」を犯す。下手くそな内野陣が塁間に挟んだ走者をアウトにできないように。

特に、強風吹きすさぶ日の野外球場でこの作業をやると、どえらいことになる。私は「ざるそば」の刻み海苔がジェット風船のように周囲一帯に吹き飛んだのを見た。その１枚が風下のおっさんの汗ばんだ首筋にピタッと貼りつき、おっさんがビクッとして首に手をやるとそこには……ホラーである。

食べ物関係で今まで見た最大の衝撃映像といえば。「保存容器に汁そばのようなものを入れて持ってきたのだが、ハシを忘れてしまった」というロッテ・ファンの行動である。そんなもん持ってくんな、ちう話であるが。フタをとったタッパーを両手で持ってしばらくどうしようか考えていた彼はなんと次の瞬間、意を決してすぼめた口を突っ込み「じゅるじゅる、じゅるじゅる」と吸引し始めたのである。

人間が人間でなくなる瞬間を見てしまった。売店で割り箸をゲットするくらいの機転はないのか！とにかく、球場でややこしいものは食べないことだ。

飲み会な人びと

試合なんて単なる「背景」。野球を眺めながら宴会と洒落込む人たちが多いのが、特にグリーンスタジアム神戸の特徴である。小学生や市民対象の優待チケット配布が多いからか、子どもを連れてきたお母さんたちが子ども放ったらかしでビール飲んで井戸端会議してたり、ご老人の団体が酒盛りしてたり、微笑ましい。

お母さんたちは微妙に古い応援グッズ（イチローのタオルとか）を持っていて「元祖オリ姫？」と思わせたり、ご老人の団体は強引に「輪」になって各自持ち寄った「家のおかず」を回しながら男女入り乱れてわあわあきゃあきゃあの、合コンめいたご発展ぶり。「輪」になってるわけだから、ずうっとグラウンドに背を向けてる人もいるわけだが、おしゃべり重視で気にしない、気にしない。
この人たちは五回裏終了後の「花火」が終わったら、「眠い」「眠い」と言いながらぞろぞろ帰っていくのがいつものパターンで、グリーンスタジアム神戸では試合展開にきっぱり関係なく、六回開始時にずいぶんとお客が減っている、というのは誰でも知っている事実である。

寝ている人

いつでも満員で応援の熱気あふれる「どこぞ」の球場なら、あり得ないが。グリーンスタジアム神戸２階席では結構「ガチ」で寝ている人がいる。試合が退屈だからとかそういう次元ではなく、ただ単に熟睡している。しかも横になって。居眠りではなく、睡眠。ただ寝に来ているのかもしれない。

グリーンスタジアム神戸は夏でも夜は涼しいし、２階は寝てても邪魔にならないので、ぜひ休憩にお越しください。ただし、ファールボールにはお気をつけください。どうやって？でも、寝るのはいいけど起きるときに唐突に「んおあっ」とか叫ぶのはびっくりするのでやめてほしい。

あじさいスタジアム不完全試合

ブルーウェーブの二軍・サーパス神戸の本拠地は、北神戸の「あじさいスタジアム」でした。市街地からアクセスしにくい郊外にあるのですが、高台で空気が美味しい田園スタジアムです。そこではなぜか選手の声に変なエコーがかかって、いつもそれが不思議でした。試合前にはサーパス神戸応援歌「明日を見せてやれ」が永久リピートで流されていて、気が狂いそうでした。ちなみに最多入場者記録は、清原が出場したときの5621人とか。そんなに入るかな？あそこに。もちろん普段はそんなことはなく、100人もいないほぼ地元民が見つめる中でひそやかにその事件は起こりました。


そのとき。

ただでさえ静かなあじさいスタジアムは、異様な静寂に包まれていた。

九回表2アウトで打席に送られた広島の代打・新人の會澤が、あっという間に2ストライクという状況。マウンド上には、先発の近藤一樹。サーパス神戸の勝利は目前だが、そんなことで観客が静まり返るわけはない。全員が「あること」に気づいていたのだ。

コンちゃんはなぜかまだ1人のランナーも出していない。

２００7年5月2日（水）の昼下がり。のんびりファーム試合を眺めに来ただけなのに、完全試合成立目前という緊迫の状況である。それまで試合を見ることなく延々世間話をしていた周囲の年寄り客たちでさえも、黙りこくっている。最後の打者は新人。あと1球。この日の近藤の調子なら、それは確実に達成できそうなのである。

そして。テンポよくさっと振りかぶり、近藤は次の球を投げ込む！3球勝負で空振りゲームセットか?!と思った、その瞬間。

「カツンっ」

プラスチックな乾いた音がして、打者・會澤が昏倒。やや遅れて彼のヘルメットが「からからから」と地面に転がったのである。

「え?-」

予想外の結末に唖然とする場内。あまりの展開に、頭がついていかない。えーっとまず、完全試合は、おじゃんですよね。ん?-んなことよりも、まだピクリともしない広島の若いのんが問題ですよね？よね？次第に場内が騒然とする中、倒れたままピクリともしない會澤の周囲に審判、両軍の選手やスタッフが集まり、その輪の外で近藤が呆然と立ちつくしている。

普通ならこんなとき、しばらくしたら倒れた選手は案外ぴょこんと起き上がり、拍手を受けて一塁へ……な展開なのだが、どうも様子が違う。他でもない、「ヘルメット直撃」の死球なのだ。

当然、試合は中断。下手に動かさない判断だろう、會澤は倒れた姿のまま。そのまま結構な時間が経過したころ、高台に位置するこの球場のちょうど右中間向こうあたりの下界から「パーフーパーフー」と救急車のサイレンの遠い音が聞こえ始める。わ。救急車を呼んだのか。

それを聞いて、前の席に座っていた近所の農家風のじいさんが、預言者のようにつぶやく。「済生会病院、やな」。隣のじいさん大きくうなずき「あそこはあれ、総合病院やからな」。そ、そうなんや。

サイレンの音はどんどん立体的に移動し、こちらに向かってくる道筋さえもありありとわかる。みんなが姿の見えない救急車のサイレンを聞いているだけという、妙な状況が続く。観客は野次馬と化し、誰も席を立とうとしない。

数分後にサイレンは最高音量となり、なんと救急車がグラウンド内に入ってきた。そんなの初めて見た。野球場がいきなり災害現場になった瞬間である。

隊員により會澤は手際よく車内に運び込まれ、救急車はすぐに出発。両軍選手は神妙な表情でそれを見送り、それぞれの持ち場にゆっくり戻り始める。ファームとはいえ、公式戦の試合途中なのだ。チームメイトに抱えられてベンチに戻る會澤の赤ヘルだけが、事件の余韻をリアルに感じさせる。

マウンドに目を移すとそこに近藤の姿はなく、山口和男がウォーミングアップ開始。そうか。頭部死球は警告なしで退場なのだ。どう考えてもわざとじゃないのだが、この瞬間ノーヒットノーランも幻。いずれにせよ、続投は精神的に無理だったかもしれないが。結局、山口が難なく最後の打者を打ち取り、なんとも言いようのない後味の試合はようやくゲームセットとなる。

とりあえず複数投手によるノーヒットノーランを見たことにはなったが、あの衝撃の瞬間を消化しきれないまま、私はふらふらとスタンドを去ったのである。

帰ってからあちこち調べると、會澤の怪我は大したことがなかったようだ。そこでようやくなんだか笑えてきた。あれほど衝撃的な「完全試合の逃し方」ってあるだろうか？「不完全試合」というフレーズが頭をリフレインし始め、コンちゃんの憎めない顔を思い浮かべて笑いが止まらなくなった。いやはや、語り継げる事件を見てしまった。

その後、ご存知のようにファンにも愛されて長いこと現役を続けたコンちゃんこと、近藤一樹。ヤクルトに移籍して活躍、退団後も独立リーグで現役を続ける、最後の実働する元・近鉄投手である。私にとっては「不完全試合」のコンちゃんだけど。応援しています。

ところで、この大事件が起こった試合の相手・広島二軍の先発は、新人の前田健太だったのだ。ファーム試合を侮るなかれ。行ってみれば、いろんなドラマに立ち会える（ことがたまにある）のである。

＊ひどい目にあった會澤翼選手は、カープ一筋で2021年現在は立派に一軍正捕手。彼を見るたび救急車を思い出すが、なるほど丈夫そうな頭をしているなといつも思う。

鳴尾浜旅情

サーパス神戸の試合を見に、鳴尾浜 Tigers Den にも行きました。さすが関西の王道・阪神タイガース、あじさい球場や神戸サブ球場と違って、二軍戦でも熱心「すぎる」観客でいつも満員。炎天下に硬い椅子でぎゅうぎゅう詰めにされて二軍を観戦するファン根性は、見上げたものです。オリックスのんびり観戦に慣れた私には、ちと辛いです。なんでも2025年には尼崎に二軍用新球場や施設が完成予定とか。そちらの収容人員は3000人以上らしいので、それは行ってみたいかな。満員なら嫌だけど。これは2003年に初めて鳴尾浜に行ったときのコラムです。

一塁走者へ牽制ばかりした挙句、「前向いて投げんかい！」とのスタンドの野次に「きっ！」とまた牽制のように声の方向をにらみつける、阪神のピッチャー川尻。声の主が「今言うたん、こいつでっせ！」と隣の友人を指差すコントに「どっ」と沸くスタンドと両軍ベンチ。

スタンドとグラウンドの心理的距離がむやみに近い。近すぎる。そんな鳴尾浜演芸場の光景である。両チームの一軍とも遠征に出かけている日曜日の阪神VSサーパス神戸戦。鳴尾浜に残された選手とファンのレポートである。

実際、本来は一軍にいるべき川尻はサーパス打線なんかが相手でも鋭い打球を連発されて、ナーバスになりまくり。昨オフにメジャーに行くはずだった?お方とは思えぬ投球ぶりで、現実は鳴尾浜くんだりでファンに野次られておる始末。野次が「税金払え♪かっわっじりー♪」じゃなかっただけ、ありがたいと思わないとな（そんなこともありました）。

対するサーパス神戸の先発は一軍の「開幕投手当確!」と言われながら、肝心かなめの開幕直前に肉離れで離脱した左腕の金田。2年前も開幕投手に決まっていたのに「当日発熱」（とほほ）と、いつだって「調整中」シールが貼られているイメージの、金田。やる気のない電気屋の前に置いてあるサビた乾電池の自動販売機のように。でもこの日は八回2失点と大好投で、珍しく打席に入れば併殺崩れの打点も挙げての、大活躍。やんやの喝采を受けておどけて手を振っている。まあ、憎めないキャラなのである。

それにしても。「カツノリボンバイエ」の横断幕もむなしく、両チーム合わせて唯一の有名人・カツノリも出てこないし、快晴の天気と裏腹に、地味ぃな両チームメンバー。

年齢層の高いファンたちは「お、藤井や。ちょっと太ったなぁ」「山口高志には負けるで」「水谷って黒いなぁ」「山森って、あの　フェンスによじ登った山森？」など、話題はコーチ中心になりがち。そんな中、「いよっぴー！」と黄色い声援を浴びてた、伊予田ちう阪神のリリーフ投手が、ストレート投げるときだけ「うりゃー」と叫ぶのがスタンドを沸かせていた。それ、球種教えてるようなもんやろ。あと笑ったのは、サーパスの後藤が打席のときに阪急ブレーブス帽をかぶったファンが「ボールを石毛や思うて、ぶちかましたれー！」。その直後に後藤がフェン直のツーベースを打ったこと。早く一軍に戻してやってほしい。

参考資料：両チームスタメン

サーパス
7早川、4福留、6後藤、8竜太郎、5玉木、3板倉、9迎、2吉原、1金田
阪神
8藤本、6沖原、4斉藤、5関本、7的場、3梶原、9桜井、2狩野、1川尻

さて。関西人は工場出荷時の初期設定が阪神ファンであることを忘れてはならない。二軍であろうがお客さんは「えべっさん」のようにわんさか来るのである。日曜日の鳴尾浜球場は超満員！そして客層はきわめて、お上品！（の反対）。

汚いポロシャツをたくし上げ、だぶだぶの腹をぼりぼり掻いているおっさん、クモみたいにネットに何度も貼り付くクソガキ、それを鬼の形相で何度も引きずり下ろすおばはん、ものすごく小さな声でずうっと阪神電車の車掌のアナウンスをしてる兄ちゃん……。ああカオス。
炎天下、異常に高い人口密度の中で、てんでばらばらにみんなが騒いでいるという落語「貧乏花見」のような様相に、めまいが。おい！球場で競馬のラジオなんか聞くなよ（試合中ずうっと〝違和感なく〟流れていた）。

この日一番の収穫は、後ろのほうで聞こえたこの会話。

「あの阪神のライトの桜井っちうの、南海におった桜井か？」
「やとしたら！何歳やねん！」

鳴尾浜観戦ガイド

・鳴尾浜には最寄りの駅はない。車かチャリンコがオススメ。（バルボンもチャリンコで来ていた）
・椅子はひたすら硬いので座布団持参がオススメ。

・ファールボールが球場外周のネットに跳ね返ってものすごい勢いでスタンドに落ちて来るのが恐怖のどん底。決して(サーパス神戸の外野手・竜太郎のように)ボールから目を切ってはいけない。

・全国「若干名」のサーパス・ファンの皆さん！一般人と区別がつかない憧れのサーパス選手のサインは、鳴尾浜球場の試合後にサーパス・バスの前でいとも簡単にもらえます。うちの息子は数分の間に後藤、早川、北川、前田、菊池から難なくゲット。もらってどうすんのか？

(余談)

「ぴっかり」佐野投手は自分の車で来ているのか誰かが迎えに来るのか、バスには乗らずに微妙なセンスのデザイナージーンズ姿に着替えてケータイ・メールを気にしながら、そわそわしていた。余計なお世話か。

舞洲観光案内

2017年、大好きだった神戸サブ球場からオリックスの二軍が球場（と寮）ごと大阪湾の舞洲に移転してしまいました。どんどん神戸からオリックスの痕跡が消えて寂しい限りです。で。舞洲って埋立地なのでもちろん土地勘もなく、鉄道の便もなし。阪神間からアクセスしづらそうなので敬遠気味だったのですが、総工費30億円の二軍施設建設に踏み切った球団の心意気も見ておかなくちゃな、ということで突然思いついて行ってみた、そんなレポートです。文中、当時の名称の「舞洲サブ球場」と表記していますが、2021年現在の正式名称は「オセアンバファローズスタジアム舞洲」です。ながっ。

6月のある平日の午前。球団HPでファーム試合日程をチェックしていた私は、いきなり「舞洲！」と叫んで、車に飛び乗ったのだ。自由すぎる。衝動的すぎる。今回は、そんな舞洲観察日記である。「ちょっと遠いし」とまだ行ったことのない方の参考になれば幸いだ。

で。あれれ?めちゃ近いやん。西宮（鳴尾）から阪神高速湾岸線に乗ってしまえば、ほんの20分くらいで舞洲に着いてしまった。車でUSJに行ったことがある人なら、簡単に行けるだろう。USJ方面の分岐に入ってUSJの反対側にまっすぐ進めば、すぐ舞洲なのだ。ふーん。んが。車で行く人のためにお伝えしておくと、舞洲で高速を降りて「あ！球場の照明塔を発見！楽勝楽勝♪」と「舞洲ベースボールスタジアム」の方に左折してはならぬぞよ。そこには、無人のスタジアムの前で頭から「?」マークを出して私が立っている。間違えた。ファーム試合はもう少し直進した「舞洲サブ球場」の方で行われているんだってさ。調べない私がアホだが、ややこしいので。なんとか、舞洲サブ球場に到着。一瞬迷ったとはいえ、ドライブはおおむね快適。駐車場がぴったり隣接しているので、家からドア・トゥ・ドアで球場入り口。ほぼ歩く必要がない。モータリゼェーション、である。

当日券1000円也を払って中に入ると、まるで神戸サブ。タンカーで運んだんか?と思うほど似ているのだ。そら少しはきれいではあるが。ただし、スタンドはネット裏のみ。椅子はおなじみのプラスチックの長椅子タイプで、ほんと神戸サブそっくり。座ってグラウンドを眺めてみると……うーん、視線を大胆にさえぎるぶっとい柱が、ちょっと。ねえ。

平日にもかかわらず、あり得ないほど客席はほぼ満員。贔屓の選手のユニを着て応援する人や、原石を発見しようと温かい眼差しで見つめる人などで、場内は熱気にあふれている。望遠カメラを持った女子も、多数。いまどきの二軍選手は、本当に幸福であることよ。

試合が始まってしまえば。「滑り止めスプレーのシュッまで聞こえる」臨場感を満喫できる、ファーム試合ならではの楽しみが待っている。あぁ、野球の音が聞こえる。

驚いたのが、ちゃんとバックスクリーンにLEDモニターがあって、スタメン発表で選手のイメージ写真が一軍さながらの演出で映し出されたりするところ。通常はスコアとラインアップのフル表示で、それだけでも（神戸サブやあじさい球場に比べれば）びっくりなのに、要所要所で表示が映像に切り替わるのだ。ちと遠目で見るにはちっこいといえば、ちっこいんだけど。

場内ではスタジアムＤＪが「ずうっと」しゃべっていて、スタンドを歩き回って選手紹介やファンの声などをライブでアナウンスするという趣向。一体感を演出して盛り上げるという意味では、そういうのが好きな人にはいいのかもしれない。私は……変わり者なので、ファームの試合は基本的に「しーん」としてて、たまあにホームランとか出たらスタンドで半眠りだったおじいちゃんが「おぉ」と起きる……みたいな感じが好きなんだけど。

これからこの球場を体験する方のためにガイドしておくと、舞洲は埋立地ということで、海風は吹きっさらしで太陽光はひたすらダイレクトである（つまりＵＳＪ環境）。球場のどこにも屋根がきっぱりないので、熱中症対策は万全に。球場内に売店はないが、屋台でたこ焼き、かき氷、飲料などは売っている（神戸サブで井川慶も店頭で売っていた「岡本のカレー」はなかった）。ちなみに球場近くにローソンがあって、そこで飲食調達は可能……て神戸と同じやん。ペットボトルの持ち込みはオッケーである。

さて。舞洲まで来たのだから、オリックス球団が大盤振る舞いで新設した球団施設の方も見てみよう。サブ球場の外野の向こうに選手寮と室内練習施設が併設されている。Tigers Denと同じような配置。さすが新築とあって、何もかもが、まぶちいまぶちい。豪華である。選手は美しい寮から歩いてすぐ球場に入れるわけで、試合開始直前に寮からてくてく歩いて直接ブルペンに入る鈴木投手＃68を目撃した。寮生は、サブ球場での試合日は移動ストレス・フリーなのだ。

報道によりますとー。球場や練習場にはビデオカメラが設置されていて、その映像は一軍の首脳陣がタブレットで見ることができるらしい。なんと、上と下がリアルタイムにつながるチーム編成が、実現しているのである。ハード的には。これだけの施設を目の当たりにすると、選手たちは言い訳できないなと思う。若い選手諸君は契約金でレクサスなど買わずに、体ひとつで入寮してほしい。車がなければ、この陸の孤島では朝から晩まで野球をするしかないから。

ところで、当初の構想では、ファーム公式戦は最初に私が間違えて行った、お隣の「舞洲ベースボールスタジアム」で行うはずだったとか。なんせ、（幻の）大阪五輪仕様のこの球場は、近代的だし天然芝だし収容人員1万人だし、ここで試合をやってくれればもっとゆったり・のんびり優雅にファーム試合が観れてパラダイスなのになと思う。私なら、通う。この球場の現在の管理者は株式会社「大阪ドームシティ」なので、できるはずだが……大人の事情で無理なのか。

さて、今回は生まれて初めて上陸した舞洲のレポートだったわけだが、最後に衝撃の告白を。私は舞洲をずうっと「まいす」と読むと思っていました。思っておりました。少なからぬ人に「まいす！」「まいす！」と売れない芸人の挨拶のように言ってた気がする。誰も直してくれなかった。ちなみに、このコラム冒頭で「舞洲！」と叫ぶところは、「まいす！」と叫んでいるのだ。

なぜ気がついたかというと、舞洲ベースボールスタジアムの看板にローマ字表記で「MAISHIMA」とあったから。「えっ」と思った。しかしなあ、地名は難しいとはいえ、ここは人工島でしょ？自由につけていいなら「舞島」とか分かりやすい漢字を当てろよなあ、と八つ当たり。

とにかく。この人工島の広大なオリックス・バファローズ・ベースボールシティは、オリックス・ファンなら「一見の価値あり」である。見ようによっては、シュールですらある。未見の方は是非、足を運ばれたらと思う。

ではまた。「まいす！」

第2部　インタビュー集

あの人を直撃！

チームを支える人たち

二軍監督　田口 壮さん

2016年5月

記念すべきK！SPOインタビューの第一弾が、オリックス二軍監督に就任した直後の田口壮さんである！MLBファンでもある私にとってはまさにレジェンドであり緊張が走るも、いきなり田口さんの高校時代ネタ（息子が野球部の後輩にあたるので）をぶつけて笑顔をいただいて、長時間お付き合いいただくことができた。日米球界での経験に基づく田口さんの広い視野に感銘を受けるとともに、現役感満点の外見にかっこいいなと思った。場所は神戸サブ球場。グラウンドではルーキー時代のラオウ杉本が長距離ランニング競走で優勝していたな。

――いきなりですが、高校時代、自宅から険しい山の上の兵庫県立西宮北高校まで走って毎日通学していた（約5㎞）という「田口伝説」って、本当なんですか？

はいっ。カバンかついで、走ってました（笑）。学校に着いても、裏山走って砂場走って鉄棒ぶら下がって。まさに野生の子どもでしたね。山道を走るのは、とってもいいんですよ。足腰にもいいし、絶好の環境でしたね。体力つきました。

――2012年の引退時は、セレモニーもなくさびしかったです。

僕は、引退ってそんなものかなと思うんです。家族には、ふんぎりがつかないとは言われましたけど。でもアメリカの選手って、シーズン終了後に〝さらっと〟やめていくんですよね。それがかっこいいなと、思っていましたんで。

――オリックスに戻ってこられて二軍監督。日本の二軍と田口さんが経験されたアメリカのマイナーは、違いますか？

アメリカのマイナーリーグは、競争がすごくて、選手数が多い。結果が出なければ辞めていくだけ、という世界です。日本の場合は、選手の絶対数が少ないこともあり、環境がまったく違いますね。とにかく二軍

田口　壮（たぐち　そう）

1969年生　兵庫県立西宮北高～関西学院大学～オリックス・ブルーウェーブ～カージナルス～フィリーズ～カブス～オリックス・バファローズ
2012年現役引退後、野球解説者を経て2016年に二軍監督としてオリックスに復帰　2019年から一軍コーチ

は〝育てる〟場になります。

——監督になられるにあたって、理想のイメージはありましたか？

ないです。なにもない（笑）。最初にあるべき姿を作ると、そこへ合わそうとするので、それはあまり好きではないです。変われなくなることが怖い。かたくなには、ならないようにしたいんです。監督というのは、今も見ないといけないし、3年後、5年後の遠い未来も見ないといけない。まあ、なるようになるだろうと、思っていますよ。

——1万人の観客を集めた阪神二軍監督・掛布さんのように、ご自身のネームバリューを活かしていこうとかありますか？

自分は……前に出るべきではないと思っています。選手を、前面に出したいです。お客さんの〝あ、田口だ！〟という声に反応しちゃうと、それは違うかなあ、と思いますね。

——若くて無名の二軍の選手たち。どうやって育てますか？

全員、かわいい僕の選手です（笑）。全員、なんとかしてあげたい。彼らの持っているものを100％出し切らせてあげたい、といつも思っています。試合中、絶好調です！とか、用意できました！とか、アピールしてくれますよ。用意しろとも言ってないのに（笑）。みんな元気だし。明るいので、彼らだったら何があっても、前へ進めると思っています！

——とはいえ、苦しい二軍の成績ではあります。

今年中になんとか勝てるチームにしたい、という思いでやっています。弱いというのは、僕自身がいやなんで。試合に〝勝つ〟ことで学ぶことが、すごく多いんです。負けるのは簡単ですが、勝ち方を学んでおかないと、一軍に上がったときに、困るんですよね。負けているゲームでいくら打てても、〝勝つ〟メンタルを持っていない選手は、ダメです。最後はチームで勝つ。その経験が一番重要ですね。だから、時間はかけても勝てるチームにしたいし、なんとかなる！と思って、やっています。

——やはりそのためには、練習ですか？選手にカミナリを落とすことも？

練習量は多くないとだめ。だめですね。勝てないなら、試合後も練習しかないですよ。それが嫌なら上にいけ！ていう話です（笑）。今、チームはウエスタンリーグで最下位です。そんな勝てないチームの選手がクビになったら、君たち、あとがないよ、他のチームから声はかからないよ、と彼らにはいつも、言っています。楽しくやってるのはいいですが、結果は自分たちにふりかかってくるんだよ、と。

――一軍に上がる選手というのは、どう見きわめますか？

目の色です。上に行ける選手は、勝負師の目になってます。そうなった選手は、1試合でもいいから使ってください、と（上に）言います。悩ましいのは、上に行きそうで行けない選手、一軍に定着しきれない選手ですね。（一軍が）めちゃくちゃ弱ければチャレンジもできるけど、今の状態ではそれも難しいですしね。

――昇格が決まった選手に「明日から一軍だ！」と声をかけるのって、二軍監督の喜びですよね？

最初は、そう思ってたんですけど……（入れ替えが多すぎて）慣れてきちゃいました（笑）。それより、上がってすぐ落ちてきた選手へのケアに気をつかわないと、ですね。

――一軍レベルの選手にはどのような指導を？T―岡田選手やコーディエ投手は田口さんがよみがえらせました。

いえいえ。技術的なことはコーチにまかせてます。Tは下山コーチがフォーム修正しただけですね。とにかく選手の性格や状況を見極めて、それに合った言葉をかけてあげたいな、と。コーディエはねえ、精神的なことだけだったんです。ある日、僕のところに通訳つけずに直接来てくれて、わーっと、心の中を吐き出してくれたんです。本人が〝苦しい〟と言えたから、よかったですね。そこから、抜け出せたんです。〝俺の友達、壁しかいない〟って最初言ってましたから。精神的に相当、苦しかったんだと思いますよ。外国人選手の場合は、（日本の環境を）受け入れる意識を持てるかどうか、これがすべてだと思います。コーディエはもう、大丈夫だと思います。

＊英語ができてメジャー経験もある田口さんは、外国人選手にとってありがたい存在だろう。現在、T—岡田選手もコーディエ投手も、見事に一軍に再昇格して活躍している。

――「二軍監督の毎日」って、どんな感じですか？

6時に起きて7時には家を出て、ここ（サブ球場）に7時半に着いて。8時45分に選手の（ウォーム）アップが始まります。試合があれば試合終了が3時半くらい、夕方5時までまた練習。6時ごろまでいろいろと……家に帰るのが7時かな。晩ごはん食べながら一軍の試合をテレビで見て、選手入れ変えが起こりそうな試合だったときは、夜10時ごろからずっと携帯電話、持ってます（笑）。

――（一軍監督の）福良さんとはツーカーですよね？

ええ。福良さんには（ブルーウェーブ）入団当時、野球をいちから、教えてもらいましたから。追いかけまわしては、野球談義をしてもらってましたね。メシ代、いくら払っていただいたか、わからないです（笑）。

＊インタビューの翌々日、練習で元気いっぱいだった伏見選手が一軍に上がって出場していた。「誰かおらんか?」「伏見がいけます!」なんて携帯電話の会話があったのであろうか?（妄想）

――田口さんの現役の最高の瞬間って、どれですか? メジャーのプレーオフでのホームランですか?

うーん……これ、とかはないですね。このプレイ、とかは。最高の瞬間は……〝ものごとが終わる瞬間〟ですね。日本シリーズでジャイアンツに勝った瞬間、メジャーでワールドシリーズが終わった瞬間……。

＊名言いただきました。野球選手の最高の瞬間は、やはりチームが頂点に上り詰めることなのだ。

――アメリカでいちばん感じられたことは、なんですか?

メジャーの選手たちって、もう……プロという仕事の域を超えてるなと。集中力がすごい。切り替えがすごいんです。なにかもう、エンタテイメントの世界、と言いますか。やるときはやるという、その底力が違います。

――ブログもまた書いてほしいです。マイナー時代のいきいきした描写が、面白かったですから。

なかなか、時間はないですが。でも、マイナーのほうが、ネタ満載ですからね。どんな世界でもそうでしょ？こーんなことが、起こっちゃうんだあ！という話がありますよね、マイナーのほうが。ここ（オリックス二軍）でもねえ。書けば、おもしろい話いっぱいですよ。

＊「書ける」野球選手でもあった田口さん、そのコラムをまとめた書籍は野球ファン、必読である。

——田口さんが書いておられたような、マイナーリーグの雰囲気、日本でもほしいですよね。

選手もね。イニング間とかプレイ間とか、スイッチ切ってもいいと思うんですよ。また入るなら、ですけど。野球って、ファンに近いのがいいですね。マイナー時代、いちど僕、アウトカウント間違えたんです。それから外野スタンドの敵チームのお客さんがいちいち、アウトカウントを僕に大声で教えてくれまして。僕もそれにこたえて指を１本、２本立てて〝ワンナウトー！ツーアウトー！〟って叫んでね。盛り上がりました（笑）。

＊田口さんはアメリカに行ってから、スタンドの観客や奥様に手を振ったりできるようになったという。日本ではとてもできなかったらしいが。

——最後になりましたが。久しぶりに、田口さんが活躍されていたころのような、盛り上がったオリックスを、見たいです！
見せましょう！見せたい、とか言ってたらダメなんです。こういうことは。見せます！
＊肯定的な言葉を宣言する。これが田口さんの身上である。T―岡田選手もこれをみならって（たぶん）、ヒーローインタビューではポジティブ発言をくりかえすようになった。
――そして、どんどん一軍に「定着」する選手を、上げていただきたいです。
上げましょう！（笑）
――今日は本当にお忙しい中、長々とありがとうございました。
ありがとうございました。

日米にわたる活躍により野球の（というより人生の）さまざま局面を経験した田口さんの二軍選手たちを見つめる目は、厳しくも温かい。前年にテレビの仕事の合間にフルマラソンに2回出たとおっしゃる、田口さん。若い選手たちと一緒に汗を流す引き締まった姿は若々しく、そのさわやかな笑顔（と白い歯）も相変らず。新しい監督像として、球界に新鮮な風を吹き込んでくれるだろう。

さて。実はこの日はたまたま、新外国人選手・クラークの入団発表日。隣のほっともっとフィールド神戸で記者会見をしたあと、急遽、インタビュー場所のサブ球場で田口さんへの挨拶とバッティング練習をすることになり、なんとこのインタビュー中にクラーク選手が到着してしまったのだ。にもかかわらず、「新外国人選手を待たせて」私のファン丸出しの質問にていねいに答えてくださった田口さんに、感謝しきりである。

一軍チーフマネージャー　佐藤 広さん

2016年7月

プロ野球のマネージャーって何をする人なのか？ そんな疑問が解けた。佐藤さんは、インタビュー前は「これといったエピソードがない」、インタビュー後は「こんなので記事になりますか？」とこちらを気遣っていただくような繊細できっちりしたお人柄。そういう方でなければ勤まらない、大変なお仕事ということがよくわかった。広報（当時）の仁藤さんが「佐藤さんがいないと回りませんからっ」とおっしゃる意味もよくわかった。プロ野球という興行はこういうプロフェッショナルが回しているのだ。

――佐藤さんは、どのような経緯で今のお仕事に就かれたのでしょうか？ やはり学生時代は野球経験者ですか？

高校まではプロを夢見る野球選手でした。甲子園出場経験もある東海大山形高です。私は甲子園に行けなかったですけど、応援に行ったことはありますよ。で。同じ学年で後にプロ入りする小田嶋（＊）っていうのがいまして。彼を見てると、プロに行くのはこんな奴なんだな、レベルが違うなと思って。卒業が近づくと普通に就職とか考えてたんですが。

＊小田嶋正邦：捕手、一塁手
東海大～２００１年ドラ３で横浜入団。２００３年巨人戦で鴨志田から代打サヨナラ満塁ホームラン。２００７年オフに仁志敏久との交換トレードで巨人へ。２０１０年引退。巨人ブルペン捕手に転身。２０１９年退団

そんな高３のとき、教育実習に来た先輩が国際武道大学（＊）野球部のマネージャーで。その先輩に誘われて、その大学に入って野球部マネージャーを引き継ぎました。で、卒業が近づいて、また就職どうしようかなあ？ていうときに、野球部の監督さんからオリックス（ブルーウェーブ）がスタッフを探してるという話をいただきまして、関西には縁もゆかりもなかったん

佐藤　広（さとう　ひろし）
1979 年生　東海大山形高～国際武道大学
2001 年オリックス野球クラブ入社
管理部一軍チーフマネージャー

ですが、こっちに来て。今や神戸市民です。

＊国際武道大学
千葉県勝浦市にある東海大系列の大学。野球部は多くの逸材をプロに輩出。オリックスでは、比嘉幹貴、西野真弘、K―鈴木、勝俣翔貴がOB

――それにしてもすごい縁ですね。マネージャー道に導かれてますよね。

うーん。でもオリックスにはマネージャーで入ったわけではなく、社員としての入社ですから。最初は二軍（サーパス神戸）の用具担当（＊）をやりまして、その後は二軍のサブマネージャーとしてチーム運営に関わり、一軍広報を経て、いま一軍マネージャーが6年目というところです。来年は違う部署かもしれませんし、それは人事異動で、はい（笑）。

＊用具担当　バットやグローブの？と思いきや、それは選手の個人管理。ユニフォーム発注やグラウンド整備、ネット補修などの室内練習場管理などがお仕事とのこと。入来祐作氏で「用具担当」という言葉が有名になりましたね。

――二軍がサーパス神戸の時代は、上と下でユニフォームが違ったので大変でしたか？

絶対下に落ちないような選手の二軍ユニフォームも全て作って神戸に置いてましたよ。何が起こるかわかりませんし。基本的にユニフォームは個人管理なんですが、ある選手のユニフォームを持って走ったこともありましたねぇ（笑）。

――では、いよいよ本題です。マネージャーというお仕事ですが、佐藤さんはベンチに入られるんですか？

私はベンチに入ることはありません。ベンチにマネージャーは一人だけ入れる規則になっていて、うちのベンチにはもう一人のマネージャーが入っています。どのチームも二人体制なんじゃないかな？　私は、試合中はベンチの裏で仕事してます。

――どのようなお仕事を？

私の仕事のメインは、選手の移動のすべての手配ですね。遠征先のホテルとの打ち合わせ、交通手段の段取りなどを、スケジュールに合わせて移動がスムーズに行くように、手配業務をやってます。ホテルの部屋割りもやりますよ。言わば、添乗員ですかね（笑）。

――試合のある日の一日を具体的に教えてください。

早めに球場に入り、ベンチ裏のホワイトボードへのスケジュールや申し伝えの記入ですね。そしてさまざまな備品のチェック、ミーティングの段取り、スタメン・ベンチ入りメンバー表などの作成、です。試合が始まると中に引っ込んで、あれやこれや、ですね。もちろんホームゲームと遠征先ではだいぶ仕事内容が変わりますが。

――選手から個人的なお願いとかされることはありますか?

それはないですし、個人のマネージャーではありませんから、あってはならないことだと思います。職業上、特定の選手との付き合いはしないですし、そこは一線を引いて、チームとして動かないといけないと思っています。

――マネージャーとして心がけておられることは?

当たり前のことを当たり前にする、ということです。普通に選手が移動できて、普通に試合できて当たり前ですから、ミスは許されません。そのための準備を怠ってはなりませんし、それでも起こった突発的事態にどう対処するか、常に考えていないと。

――今まででで最大の突発的事態は何でしょう?

2014年、神戸空港から札幌に飛ぶ予定便のタイヤトラブルで出発が大幅に遅延しまして、代替便もなく、なんと交換タイヤを伊丹から運んでくることになりまして(笑)。チーム総勢60名をロビーに待たせたまま、途方にくれました。新幹線なら他の便の空いた席に少しずつでも乗せて……なんてこともできるんですが、飛行機のトラブルは全員まとめて、なんでどうしようもないです。結局、ギリギリに到着して、試合開始が遅れました。

＊２０１４年9月27日の出来事。札幌ドーム入りは15時半となり、試合開始は30分遅れとなった。

――移動・移動の日々で、身体的には大変ですか？

慣れですね（笑）。シーズン中の休日は、家族に合わせます。シーズン以外もキャンプがありますし、普通に土日休みなんていうのは、12月と1月だけですね。

――そんな中、マネージャーとして「やりがい」を感じる瞬間は？

とにかく、チームが勝つ事。あとは、大渋滞などが予想された時間的にタイトな移動をこなせたときの、ああ良かった…という達成感かな。あと2年前だったかな、最後まで優勝を争うとやっぱりうれしいです。仕事的には大変なんですけどね。クライマックスは先が読めないので、負けたら全てキャンセルになる予約を入れるんだけど、ヒヤヒヤしながらもそういう忙しさは、うれしいですね（笑）。

――やはり勝利が目標のお仕事だということですね？

勝ってこそ、というところはあります。スタッフ含めたチーム全体でやっているので。選手、監督、コーチ、我々や打撃投手、ブルペン捕手、広報、スコアラー、トレーナーなど、どこが欠けても成り立たない仕事ですから。優勝したら全てが報われますから、それが目標といえば目標、ですね。でもマネージャーとしての仕事は、あくまで日々の野球が普通にできて当たり前、という部分を支えることです。何も（文句を）言われないことが一番、かな。もちろん感謝を言っていただけるときもありますけど（笑）。そこで、より良い環境を与えることも考えていかなくちゃ、てことですね。

――最後に。福良監督に近いところにおられますが、監督はどんな方ですか？

野球に対して厳しい方ですね。微力ですが、できる限り支えになりたいです。

――お忙しい中、ありがとうございました！

佐藤さんは、その整然としたお話しぶりにお人柄がにじみ出た、「きちん」とされたお方であった。佐藤さんの緻密なスケジューリング能力がなければ、試合ができないのである。「チームが到着できませんでした」なんてことがあってはプロ野球という大興業はもちろん成り立たない。当たり前のことを当たり前にやるには、誰かの確実で冷静な仕事が必要だ。明るく話されてはいるが、日々起こりそうな突発事態を想像すると、気の休まる暇がない大変なお仕事なんだろうなあ、と感じた。チームはいろんな人に支えられている。

打撃投手　山田 真実さん

2016年8月

近鉄バファローズ臭がぷんぷん漂う外見からは想像もできない、優しい語り口調とチームへの慈愛に満ちた眼差し。打撃投手の山田さんは、めちゃめちゃ渋い伝説の男だった。日本シリーズ登板経験のある打撃投手なんて、カッコよすぎ。「人に歴史あり」を地で行く山田さんは30年以上も投手であり続けている……。その生半可ではない事実がひしひし伝わってきた。インタビュー後には「投手の顔」になり、T―岡田や安達クラスにぐいぐい投げ込む姿のカッコいいこと。2019年まで打撃投手を務めた後、現在は青濤館の寮長。お疲れ様でした。

――ドラフト2位。高い評価での近鉄入団ですねえ。

この年（1985年）は、清原・桑田など高校生の当たり年でしてね。そんな中での2位指名は、ありがたかったですね。

――現役時代はどういうタイプのピッチャーだったんですか?

高校時代は球速で押すタイプでしたが、地肩で投げてて荒削りすぎたんですね。このままではプロではやっていけないということで、フォームを修正しました。フォームがいい投手は怪我をしませんからね。ずいぶんスピードは落ちましたが、コントロールや緩急重視のピッチングをするタイプでしたね。

――当時の近鉄といえば荒々しい印象でしたが、実際そうでしたか？

そうですね。野手の方が特にね。金村さんとかね（笑）。

――公式戦一軍初登板が1989年の対オリックス・ブレーブスです。

九回1アウトからと記憶してますけどね。一軍では敗戦処理が多かったんです。

山田　真実（やまだ　まさみ）

1967年生　和歌山高野山高～近鉄バファローズ
1995年現役引退後、近鉄～オリックス打撃投手
2020年から選手寮・青濤館の寮長

――現役時代のいちばん印象的な思い出といいますと？

日本シリーズに出てるんですよ。巨人との、あの3連勝↓4連敗のときの。第4戦、香田さんに完封された試合で投げまして（＊）よーいどんで（最初のバッターが）原さんですわ。で、フォアボール。そのシリーズ絶不調だった原さんにヒット打たれて乗せたらあかん、というので力が入ったんですかねえ……。初球はストライクだったんですが。それが一番の思い出であり、いまだに（フォアボールが）後悔でもあるんです。東京ドームで5万人に見られてる感じは、なんか気持ち悪かったですよ（笑）。

＊1989年10月25日東京ドーム。あの「流れが変わった」伝説の第4戦。山田さんは、0―5の七回2死1塁・バッター原の状況でシリーズ初登板。四球を出すも、続く中尾を三振に取る。八回も続投し、香田を三振、代打・緒方を二ゴロ、川相に単打を打たれるも岡崎を一ゴロに仕留めて、きっちり無失点。歴史にしっかり名前を刻まれておられるのだ。

――そして1995年に球団から打撃投手のオファーを受けられます。そのときのご心境は？

数字（成績）が出てなかったからねえ。もうクビを覚悟していた状況です。28歳で家族もいるし、次の仕事・人生を考えていた時だったんで。ありがたいなあ、これでまた野球に携わらせていただけるなあといううれしい気持ちと、いつまでできるのかなあ？という不安がありましたねえ。

――そこから結局、打撃投手として21年でいらっしゃいます。山田さんほどのベテラン打撃投手って、他にはおられないんじゃないですか？

同期がね、ロッテに2人いるんです。私と同じ年に近鉄にドラフト3位で入った福島（＊1）、ロッテに1位で入った石田（＊2）です。3人とも一度もユニフォーム脱いでないんですよ。お互いに切磋琢磨してるというかね、お互いの存在が励みになりますね。

＊1　福島明弘　大宮東高～近鉄　右投　1993年引退～ロッテ打撃投手（現在の名字は、福嶋）
＊2　石田雅彦　川越工業高～ロッテ　左投　1994年引退～ロッテ打撃投手

――打撃投手になられて、想像と実際はいかがでしたか？

見てくれはね。簡単な仕事なんです。キャッチボールの延長ぐらいに思われてますしねえ（笑）。しかし、投げる相手はプロで厳しい競争をやってるわけで、練習も必死ですよ。そんな緊張感の中で常に狭いストライクゾーンに投げなあかん、という精神的プレッシャーがすごいんです。見てくれと実際の温度差がものすごい仕事やな、と思いました。そんな中でイップス（運動障害：野球の場合は主にコントロール障害）になる人も多いんですよ。ほんと、繊細な仕事ですね。打撃投手たちは打撃投手たちで、自分の位置を取られないようお互い競争してますしね。

――山田さんの場合は最初からスムーズに対応できましたか？

打撃投手になった最初の年から、大石さんや鈴木貴さんなどレギュラークラスに投げさせてもらえたのでねえ。周囲の判断からいうと、はまったのかなあと。だんだん慣れてはいきましたけど、最初の緊張感は大事にしていかなダメやなと思います。打撃投手になって3年目くらいに、中村ノリ選手やタフィ・ローズ選手なんかが出てきてね、彼らみたいなすごいバッターに投げられて、いい仕事させてもらったなあと思っています。

――素人考えですが。手加減して投げるのは難しいと思うんですが、どれくらいの力で投げているものなんですか？

そうっと投げるわけではありませんよ。今投げれるMAXスピードの大体80パーセントで投げるわけです。1日に100～120球を継続して投げるわけですから、ペースを考えてね。キャンプ含めて年間10カ月投げれないといけませんから。

――現役時代と投球フォームは違うんですか？

それはもう、全然違いますね。だんだん、打撃投手のフォームになっていきました。バッターに調整してもらわなあかんわけですから、バッターからボールが見えやすく、変化しづらいフォームということでね。練習ボールというのはワンカード（３日間）同じなので、だんだんボールが歪んだり傷もつくわけですね。だから自然とボールが変化してしまう。それをできるだけ変化させないようなな、そういうフォームに自然となっていったんですね。どうしたらきれいなまっすぐを投げれるか。いつも考えています。

――まっすぐだけを投げるんですか？バッターからいろいろな注文があるものですか？

基本は、まっすぐです。その日の試合の対戦相手によっては、たまにカーブを要求される場合もあります。選手によっては、緩急の差をつけてください、というのもあります。バッターは緩急に一番、惑わされますからね。コースの要求はないです。基本は外に投げます。

――気持ち良く打ってもらうため、バッターのタイミングに合わせて投げるんですか？

いえいえ。自分のペースで投げて、それにバッターが合わすという形です。試合でも、そうでしょ？投手のタイミングに合わす練習は、打撃投手が相手でもしたほうがいいですからね。バッターは、バッティングの調子を上げるためというよりは継続のために打っているわけです。調子というのは、上がり下がりが必ずあるわけで、それより継続の中に成長を見出していくというほうがいいんじゃないかと、僕は思いますね。

――投げている中で、バッターの成長をありありと感じられたりすることはありますか？

今年いいなあ、とか、気持ちが変わったなあ、とか。ありますねえ。その選手が何をやろうとしてるのか、何年か後にどういう選手になろうとしているのかが、伝わってきますねえ。

――自分のフォームのことなどを聞いてくるバッターはいますか？

いますね。コーチは後ろから見てるわけで、前から見てるのは僕らだけですからね。選手も競争が激しい中、もがいていますからね。どの球団にも、自分に満足している選手なんて、一人もいないと思いますよ。

――今、オリックスの打者では誰がグッときてるように感じられますか？

自分が投げてる選手になりますけど……安達選手なんかねえ、大変な病気（潰瘍性大腸炎という難病）で体調面の管理が最重要課題な中でも、技術の向上を目指してる姿勢というかね、来年も再来年もレギュラーをはっていくんだ！という気持ちが、伝わってきますよねえ。あと（新人の）大城選手は当初のキャンプから比べたら格段に良くなりましたし。T―岡田選手なんかも、振り込んで向上しようとする姿が見えますしね。

――なんか「親心」って感じが、伝わってきます。

チームの成績はもちろん大事なんですが、自分が投げてる選手の成績がやはり気にかかります。彼らが活躍して勝ったら、それが一番うれしいことです。

――今までのご経験の中で、すごいバッターの思い出とかありますか？

誰に投げても、違いはないですね。プロ野球の選手は技術的にはみんないいもの持ってるわけですから。その上でそれぞれのポジション（役割）があるわけでね。スーパースターだけでチームが成り立っているわけではないですから。まあでも、一流選手にはやはり、オーラはありますね。中村ノリ選手なんかはねえ、技術もパワーも向かってくる感じも抜けてましたね。日米野球で投げさせてもらったイチロー選手のミート率の高さや、バリー・ボンズ選手のパワーにも驚かされました。

＊山田さんは、野球日本代表のチームスタッフとして侍ジャパンの打撃投手も経験している。

――山田さんが考える、いい打撃投手の要素とはなんでしょう？

怪我しないで休まないで、選手が安心して練習できる。選手が「あてにしてくれる」打撃投手じゃないですか。「無事これ名馬」じゃないですけど、体が痛くても休まずに投げれるっていうところじゃないですかね。僕はそう思ってます。僕は親に丈夫な体をもらったんでありがたいです。常に次の日に元気で練習に来れるように、体調を管理しています。

――練習中に選手にボールをぶつけたことがないと聞いたんですが?

むかし、山本和選手にスローボール投げてくれ、て言われてね。山なりのボールを「ぽーん」て投げたら「ぽてっ」と膝に当たったことはありますよ(笑)。指とか当たりどころ次第ではボールは凶器に変わりますので、その選手が野球ができんようなったら大変ですからね。当てたらあかん、という意識でやってますね。

*つまり、当てたことはないのだ。21年間。

――逆に、打球が自分に当たったことは?

あります、あります(笑)。足とかねえ。今はないですけど、5年目くらいまではね。慣れないうちは、どうしても投げた後にネットから体を出して、バッターを見てしまうんですよ。

――後輩の打撃投手へアドバイスなどはされますか?

コントロールの感覚は本人にしかわかりませんから。具体的なアドバイスは、ないです。今年から打撃投手になった小林くん(*)とはキャッチボールしたりしてね、感覚を失わない練習を自分のためにもやってますけどね。一度精神的にダメになるとガタガタといくんですよ。コントロールというのは、完全に精神面です。相談されたら、とにかく「あたふたするな」と。我々は「投げ姿」という言い方をするんですが、バッターが安心して練習できるように、堂々とした「投げ姿」を打者に見せろ、と言いますね。

＊小林憲幸　1985年生　城西国際大～四国IL～2007年ロッテ育成～2010四国・九州IL～2016年オリックス打撃投手、2017年に退団

――打撃投手は日本だけの文化と言われますが、その意義というものをどのあたりに感じられますか？

体が小さい日本人がWBCで世界一になれたりするのは、練習方法が優れているからだと思います。大きい選手に勝つための、フォーム重視・データ重視の野球ですね。例えば、小さな打者が遠くにボールを飛ばすにはどんなフォームがいいのか。その練習のための打撃投手というのは、日本プロ野球が作ったいい文化だと思いますよ。

練習で生きたボールを打つことが、いかに効果があるかですね。マシンは一定のペースで同じボールしか投げませんけど、人間が投げるボールは緩急がつくし、変化もする。人間のやることに対応する技術をつけるには、人間が投げるのが一番です。こうしてね。早く出てきて練習する（と言いながらグラウンド上を見やると、そこには早出特打の若手相手に投げる北川コーチの姿が！）ああ

やって気持ちの込もったボールを投げてもらって打ってるから、成長していくと思うんですよ。

――そろそろゆっくりしたい、とかはありませんか？

もう無理やなあ、選手に迷惑かけてるなあ、と思ったらやめますけどね。まだそんなことはないんで。とにかくもっともっと野球を続けたいと思っています。

――これからも投げ続けてください。ありがとうございました。

山田さんの堂々とした「投げ姿」は、試合で投げる投手そのものだった。バッティング練習は遠目に見るとのんびりしているが、間近で見ると真剣勝負そのもの。投球の目的は変われど、打撃投手は生半可な技術ではできないのだ。毎日１２０球もの球数を投げ続けるスタミナも、尋常ではない。昭和のプロ野球の息吹をたっぷり吸った山田さんのどっしりした存在感は、どちらかといえば小綺麗な若い選手たちに大いなる安心感を与えているように感じた。「見てくれ」は豪快だが「さまざまなこと」を見てこられた山田さんの瞳は、優しい。「仕事」が終わりベンチ裏に引き上げる山田さんの満足そうな笑顔は、めちゃかっこよかったのである。

ブルペン担当　別府　修作さん

２０１６年10月

阪急ブレーブス黄金期を知る男。そしてオリックス球団誕生年からずうっとブルペン捕手として投手陣の球を受け続けてきた別府さん。いったい、何人の投手が別府さんの前を通り過ぎていったのか。彼らの技術面や精神面を支えつづけた別府さんはまさにブルペンの頼りになるオヤジさんである。実際、お人柄がそんな感じでほっこりさせていただいた。ブルペン捕手は決して「壁」ではない。現在は育成統括コーチとして若者の面倒を見ておられます。

——高校生のころからキャッチャー一筋でいらっしゃいますか?

高校に入ったときはサードだったんですが、途中からキャッチャーやれと言われて。それからずっとですね。

——そして阪急ブレーブスに入団されます。阪急時代の思い出と言いますと?

練習がきつかった（笑）。当時、練習のきつさは阪急か広島か?ていう時代でした。上田監督の方針ですね。神勝寺（広島県）での秋季キャンプのきつさといったらもう……今の若い選手に言ったら笑うやろけど、朝早くから日が暮れるまで、小便の色が限りなく血に近い色になるまでの凄まじい練習でした。

――高校生がいきなりそんな世界に。どんなお気持ちでしたか？

練習もきついしね。一軍にはＶ３の戦士がまだゴロゴロいましたから、とんでもないところに入ったなあと（笑）。でも今の基準から考えても当時の阪急の練習方法は、高度でしたよ。連携プレーとかね。そういうチームカラーでしたね。

――引退後はすぐブルペン捕手に？

現役最後の８年目（１９８９年）はもう一軍のブルペン捕手でしたね。それからずっとです。

――ブルペン捕手のオファーがあったとき

別府　修作（べっぷ　しゅうさく）

1963 年生　鹿屋商高～ 1982-1989 阪急・オリックス
1990 年からオリックス・ブルペン捕手　バッテリーコーチ補佐などを歴任し、現在は育成統括コーチ

はどんなお気持ちでしたか？

嬉しかったです。この仕事を続けれるなあと。ずっと野球に携われて、本当に幸福ですよ。

——現在の肩書きはブルペン担当ということですが、具体的にはどのような役割でしょうか？

先発陣も受けるんですけど、中継ぎ・抑え陣の投手のボールを受けて、修正して、ということですね。

——それぞれの投手の調子を見極めるわけですか？

投球以前の、キャッチボールでわかるんですけどね。良さそうだとか、おかしいなとか。投手ごとに、投げるタイミングや上げた足が割って前に出てくるまでのタイミング、手の出方や体の出方がありますので。

——全投手のそれを把握しているわけですね。おかしいときは、本人や投手コーチに言いますか？

聞かれれば言いますが、投手コーチの見方もありますのでね。

——ブルペンでダメならマウンドでもダメなものですか？

マウンド行って良くなることもあるし、逆もありますよ。精神面もありますから。一概にブルペンで悪いから悪いとも言えない。

――試合のある日の別府さんの一日を教えていただけますか？

朝起きたら、体を少し鍛えて、球場に着いたら、まずビデオ室で各投手の試合映像を見て修正箇所をチェックします。ナイターの日は、2時くらいから投手陣のウォームアップが始まりますから、まずは上がりの先発投手の投球を受けますね。それから試合が終わるまで、ずっとブルペンです。

――1日中しゃがんでボールを受けるのって大変じゃないですか？

よく言われるんですけど。投手が肩を作るときって20球も投げないので。それを数人受けても、皆さんが思ってるほどではないんですよ。立ったり座ったりしてますから、特に大変じゃないです。ずっと立ってるほうがしんどいです（笑）。

――ブルペン捕手になる資質ってなんだと思われますか？

やはりキャッチング技術でしょう。ボールをビシッと止めるってことですね。投手は自分の投球の軌道を見たいんです。捕手が受けた時にミットが流れたり、ミットをかぶせたりしたら、軌道がわからないでしょ？ いつも言ってるんですけど、「投手をがっかりさせるな」と。投手をがっかりさせないことが、我々の仕事です。

——自信をつけさせるためにわざとミットを大きく鳴らしてるって、本当ですか？

ありますね。鳴らすコツは捕るタイミングなんですけどね。実はいい投手の方が、いい音が鳴るんです。昔で言えば佐藤義投手とか、星野投手とかね。投手のコントロールとタイミングがいいと、捕りやすいし、いい音が鳴るんですよ。

——ブルペン近くで見てるとすごいミットの音がしますが、痛くはないんですか？怪我をされたりは？

痛くはないです。そりゃワンバウンドとか怖いですけど。小さい怪我はしますけど、痛くても黙ってます。仕事だから。投手に不安を与えたらいけないしね。

——ブルペンの雰囲気ってベンチから少し離れて独特ですよね。神戸ではそれがよく見えて楽しいんですが。

もちろん試合展開を喜んだり悔しがったり、ベンチから離れていても一体感を持ってやっていますよ。でもまあ、ざっくばらんな雰囲気かもしれません（笑）。マウンドに出て行くときはどうせ緊張しますからね。それまではリラックスしないとね。

――クローザーの平野さんは今年も大活躍でした。

一番しんどいとこですもんね。一年中、調子がいいわけではない中でね。若い選手に言うんです。抑えても、（たまに）打たれても、平野はおんなじ顔してるやろ？と。打たれたら一番自分が悔しいはずやけど、おんなじ顔やろ、と。ちょっと打たれたくらいで顔に出すな、マウンドにいる間は堂々としておけと言ってます。

――失敗を引きずる選手もいますか？

次の日に修正したらええだけの話やと思うんやけど、なかなかね。選手によって声かけたり、あえて何も言わなかったりです。自分で考えないとね。毎日投げて行く中で、メンタルを強くしていかないと。

――今までの野球人生で一番嬉しかったことと言いますと？

それはもう、震災の年の優勝でしょう。あとはもう、中継ぎ・抑えがみんな0点に抑えて帰ってくるのが、一番うれしいです。打たれたら一緒にがっかりします。

――これからもオリックスのブルペンをよろしくお願いします。

大ベテランのブルペン捕手、というと何だか頑固な「城壁」のようなイメージを持っていたのだが、別府さんは温かい方であった。その口調からは、野球とチームを愛する気持ちがひしひしと伝わってくる。昭和な私としては、お話を伺いながら、現役時代の阪急ブレーブスのユニフォーム姿をまざまざと想像してしまい、「いかにも西宮球場にいそうな」ご容貌に内心の喜びを禁じえなかったのである。現役を引退された年が、オリックス元年。それから27年、別府さんはオリックス・ブルペンの栄枯盛衰をずっと見守ってきた。そう思うと、試合前の外野フィールドで和気あいあいと練習している投手陣の一人ひとりが、愛おしくなる。試合中はベンチから離れていつも一緒にいるブルペン陣には、先発陣、野手陣とはまた異なった独特の連帯感がある。ブルペンの見える神戸の試合では、ぜひそこらを観察していただきたい。

広報担当　仁藤　拓馬さん

２０１７年５月

広報として取材の際にお世話になっていた、仁藤さん。どこぞのエリート社員のような物腰と容姿だが、実はやむなく22歳で引退した元オリックス投手である。複雑な感情もあるのでは？という こちらの邪推が恥ずかしくなるほど、仁藤さんはチーム愛と仕事への情熱に満ちた好青年なのだ。彼は今でも選手たちと一緒に戦っている。現在は事業企画部宣伝グループでＳＮＳでの情報発信を担当。オリックスのＳＮＳはファンの間では大好評で、選手とファンの距離が開きがちなコロナ禍の中で、仁藤さんのチームへの貢献は増すばかりである。

──今年は結構、ベンチでの姿がテレビに映りますね

五回までベンチでスコアつけたり、選手コメント取ったりしてます。

──まずは静岡での学生時代のことを聞かせていただけますか？

小学生のときから野球（軟式）をしていたんですが、そのとき（１９９８年）地元の島田商業高校が甲子園に何十年か（58年）ぶりに出場しました。それに憧れまして。家から近いこともあって、

島田商に行こう！と決めたんです。実力はともかく、勘違い野郎だったので（笑）。

――島田商業高校ではエースとして春の県大会（2006年）を制覇されています。高校時代からプロ志向だったんですか？

入学したときからプロに行くつもりでしたし、野球やってたら行けるつもりでした。球は高校生にしては速かったし、なんせ、勘違い野郎なんで（笑）。いい意味でも悪い意味でも、勘違い野郎なんですよ（笑）。

――いえいえ。仁藤さんは言葉遣いも礼儀もしっかりしてらっしゃいますが。

それは、小学校時代の監督さんに厳しく親身に指導していただいたからですかね。本当、指導者に恵まれていました。高校時

仁藤　拓馬（にとう　たくま）
1988生　静岡県立島田商業高校～オリックス
2011年からスコアラー、マネージャー、球団広報など

代の監督さんは厳しさもあったんですが、プールでのトレーニングなど、こちらがやりたいということは自由にやらせてくれましたし。

――2006年の高校生ドラフトでオリックスに指名されます。予想はしていましたか？

ソフトバンクやシアトル・マリナーズの方が見にきてくれたこともありましたし、新聞にも田中将大の外れ一位などと名前が出たりして、どこかに指名はされるかな？とは思っていました。でも実際にオリックスに指名されて、やっぱりうれしかったですね。ただ、ドラフト前の高校最後の試合でボコボコに打たれて、ボロ負けしてたんですが……。

――ハンカチ世代なんですね。プロ入りして、いかがでしたか？

1年目は肘のトミー・ジョン手術とリハビリで、登板なしです。2年目に当時の二軍投手コーチの酒井さんのアドバイスでスリークォーターからサイドスローに転向しました。3年目のキャンプの紅白戦で投げたときに臨時コーチの野茂さんに「面白い」と言っていただいて、開幕一軍に残れたんです。

――野茂さんからは具体的に何かアドバイスを？

サイドでもフォークは投げれるよ、と投げ方を教えていただきました。

――その年の西武戦（2009年4月7日 西武ドーム）で現役時代で唯一の一軍登板を果たします。思い出していただいてよろしいですか？

リリーフで1イニング登板して、いきなり栗山さんでしたがライトフライ。続く中島さんはショートゴロに打ち取りましたが、そこから中村さん、清水さん、GG佐藤さんに3連続ツーベースを打たれてしまって、2点取られました。

――今でも思い出したりしますか？

もう、さすがに……。実は開幕前に過敏性腸症候群という病気になってしまいまして。その日も試合中に何度もトイレに駆け込むような状況だったんです。でも、マウンドでは集中できていましたね。意図的には投げれたんですが、体重が落ちてたので球速も落ちてましたし、ボールが1個分ずれてしまった……実力不足ですね。

――それでまたファーム落ちしてしまいます。

最終的には、体重が10キロも落ちて。身体の使い方がわからなくなってしまって、誰かの身体を自分が操縦しているような感覚でした。この病気はメンタルなものなんですが、球団からもいろいろサポートしていただいて体重は戻ったんですが、もう投球のバランスが戻らなかったですね。

――そして2010年に戦力外通告を受けます。どんな心境でしたか?

終わったか……と。まだ22歳だったし、何も考えられなかったですね。最後の2年は動かない身体を操縦し続けて、もう後悔とかはなかったですが。

――苦しいプロ生活でしたが……

入団したときから、ずっと支えていただいたのが、高校の先輩の牧田さん(*)でした。オリックスに入ってよかったなあと思う一番のことは、牧田さんに出会えたこと。島田商業に入ってよかったなあと思うことは、牧田さんの後輩になれたことなんです。

*牧田勝吾　1974年生　静岡県立島田商業高校~愛知学院大学~日本通運~オリックス
2009年~球団職員　スカウトとして後藤駿太、西野真弘、若月健矢、山岡泰輔、中川圭太らを担当

――球団職員の話は、戦力外通告と同時にあったんですか?

トライアウトを受けないならこれからも一緒にやろう、と言っていただきました。ありがたかったですね。もうプレーはできないけど、これからもみんなと一緒に戦えるんだと思って、本当にうれしかったです。感謝しかないですね。

――スコアラー、マネージャーを経て、昨年から広報です。どんなお仕事内容ですか？

広報もチームでやっているわけですが、今年の僕の役割は、球場に来て取材希望などのメールチェックとアテンド、試合前は練習の手伝い、試合が始まるとベンチに入り、談話を取ったりスコアをつけたり……試合が終わるとまたインタビューなどの仕切り、ですね。何が起こるかわからないし、広報と言ってもマネージャー的な要素も強いです。

――どんな思いで、広報というお仕事をされてますか？

ちょうど選手時代にプライベートでも仲の良かった同年代（T―岡田選手や伊藤選手など）が、いま中心選手になっています。それがうれしいですし、一緒に戦っているつもりです。若い選手たちにも「がんばれー」という気持ちで、応援する気持ちでいっぱいですね。

――いちばん、やり甲斐を感じるのはどういうときでしょう？

それはもちろん、チームが勝って取材が増えて、選手たちがメディアにたくさん取り上げられるときです。

――では、夢はもちろん？

チームの一員として、優勝したいですねえ。本当に。そして、山ほど来る取材依頼をさばきたいですね。

――今年のベンチは雰囲気がいいように見えますが……?

はい。カバーし合えてますね。誰かがミスしても、みんながカバー、カバーと声を出しています。

――広報という仕事に、どんなビジョンをお持ちですか?

チームは、人だと思うんです。いい選手がいて、いい監督・コーチがいて、いいスタッフがいて。オリックスはそんなチームです。そんな人たちと、喜びを分かち合いたいですね。僕はみんなが大好きなんで。人間的にもいい選手ばっかりいますから、そういう面をもっとファンの皆さんに知ってもらいたい。もっと選手たちを好きになってもらえるように、そういう発信がしていきたいですね。

――最後に。仁藤さんは野球のどんなところが好きですか?

何が起こるか、わからないところですね。

――ありがとうございました! 今後ともよろしくお願いします。

ちょうどインタビュー中に、オリックス選手たちがグラウンドに出てきてキャッチボールを始めた。そんな彼らの姿を見ながら「選手たちが大好きなんです」とつぶやいた仁藤さんの言葉に、じんとした。とはいえ、穏やかな口調で語られた選手時代の話の内容は、厳しいものだ。まだ20歳の将来を嘱望された投手を襲った（現在も治療中である）病気は、想像もつかない試練だったろう。その無念を思うと、心が痛む。しかし、彼は腐ることなくまっすぐ戦い、力尽きた。そして、それをちゃんと見ていた周囲の人たちがいて、立場を変えて今でも戦っているのである。彼が言うように、オリックスの人たちはみんな本当に「いい人間」である。取材していると、それを痛感する。彼らが歓喜を爆発させる瞬間を信じて、これからも応援を続けたいと思う。野球は、何が起こるか、わからないから。

ボイス・ナビゲーター　神戸 佑輔さん　2018年3月

2018年からオリックスのボイス・ナビゲーターを務める神戸（かんべ）さんに、デビュー2戦目（ほっともっとフィールド神戸で行われたオープン戦）終了時、お話をうかがった。子どものころからブルーウェーブの試合を見て育ったという彼のアイドルはもちろん、DJ木村さん。まさにドリーム・ストーリーである。なるべくしてなったと言える彼の場内アナウンスには最初から違和感がなく、今やすっかり、ボイス・オブ・オリックスである。話を聞けばお若いのにビンテージ・ロック好き。今後はぜひそれを演出に活かしてほしい。

――まずはオープン戦とはいえ実戦デビューしました。どんな手ごたえですか？

対戦相手（横浜DeNAベイスターズ）の選手名やアナウンスの段取りなど、覚えることが多くて不安だったのですが。京セラと神戸で2試合を無事に終えることができたので、まずは安心して落ち着いたというところですねー。これをシーズン通して続けていけばいいのかな、と。

――ボイス・ナビゲーターに決まったときの心境を聞かせてください。

オリックス・ファンなので。事務所から募集のお話を聞いた時点でラッキー！と思い「記念受験」感覚で応募したんです。書類選考に残って、面接で憧れの球団内部に入れるということだけで、うれしかったですね。事務所から「ほぼ決まった！」と聞いたときも100％は信じられなくて、公式発表までは半信半疑でした。

――いつからオリックスのファンだったのですか？

オリックスが日本一になった1996年、僕が小学2年生のときに父親にこの球場に連れら

神戸　佑輔（かんべ　ゆうすけ）

1988年生　オフィスキイワード所属
主な活動実績
【スポーツ】オリックス・バファローズ　ボイス・ナビゲーター、TOTOクラシックジャパン ゴルフ スタートアナウンサー
【実況】女子プロ野球、オリックス・バファローズ2軍戦（イレブンスポーツ）、社会人野球日本選手権（毎日新聞ライブ）、高校野球地方大会 兵庫
【ナレーション】京絵巻京十色（洛西ケーブルビジョン）、オービィ大阪　他各TV・ラジオCM、各種VP
【MC】野球・バレーボール等スポーツイベント、音楽祭　等

れて。それ以来、ずっとです。当時はイチローさん、田口さん、藤井さん、小川さん（＊）、星野さん、鈴木平さん、そしてもちろん福良さんもいて、ファンになりましたね。

＊小川博文　この日の対戦相手、横浜ＤｅＮＡベイスターズの打撃コーチとして目の前のグラウンドにいた。

――それから22年。少年はその球場でボイス・ナビゲーターに。素晴らしいですね！

そうですよね～。将来はプロ野球選手になって、憧れのＤＪ木村さん（＊）に自分の名前を「ユウスゥケ～・カンべ～」とアナウンスしてもらうのが夢だったんですから。

＊ＤＪ木村　１９８０年代のディスコブーム時代にＤＪとして活躍後、日本初の男性球場アナウンサーとして１９９１年から２０００年までオリックス・ブルーウェーブを担当。「スタジアムＤＪ」を名乗り、画期的スタイルで野球場アナウンスに革命を起こし、「イチローゥ・スズゥキ～」コールは日本中で有名となる。音楽・映像制作など場内演出にも関わった。現在は映像制作会社社長として、プロ野球チームやＪリーグクラブなどの映像制作に携わる。

――ご自身も野球をプレイされていたとか？

小学2年生の時に地元のソフトボールチームに入って、それから中3まで野球やっていました。進学した育英高校は野球強豪校だったので野球部には入らなかったんですが（笑）。草野球は続けていますよ。

――ナレーターのお仕事をされるきっかけは？

大学（映画学科）で卒業後の進路に迷っていたんですが、中学生のころから家の電話を母親に取り次いだとき「息子さん、ええ声やな」とよく言われていたことを思いだしまして（笑）。ナレーターの勉強をしたんです。生活の中に、ナレーションってあふれているじゃないですか。「お風呂が沸きました」みたいな自動音声の仕事をして、友達に「これ、俺の声やねん！」なんて面白いかなと（笑）。

――今日の試合でアナウンスを初めて聞かせてもらいましたが、低音なのに明瞭な発音というのが新鮮でした。もっと年齢が上の人の声かな、と感じますね。

そう言われるのはうれしいです。そう思ってほしいです。自分の武器は低音ですね。軽快に、というよりは「下に下に」という意識でしゃべっているんです。

――これからどういう風にご自分のカラーを出していこうと思われますか？

ずっと、DJ木村さんのようになりたい、という思いがありました。木村さんから数えて僕が5代目のボイス・ナビゲーターですが、過去の人の真似にならないように「わかりやすく伝える」というコンセプトを守りつつ、僕のスタイルが出せたらなと思っています。

――これからを期待しています。試合後でお疲れのところ、ありがとうございました！

写真でおわかりのように、神戸さんは「野球少年」の面影を残した好青年。オリックスや野球のことを語るときのキラキラした眼差しからは、この仕事に対する情熱と期待、喜びがひしひし伝わってきた。奇しくもこの日は、神戸で生まれ育った（垂水区→灘区）彼の、神戸デビュー。子どものころから憧れていた舞台に自分の声が流れるなんて、本当に素晴らしいストーリーではないか。それにしても、である。神戸で生まれ育って、名前が神戸（かんべ）とは。彼自身「覚えてもらいやすくて、ありがたいです」と言っているので、皆さんもぜひ覚えてほしい。そして、実際に球場に足を運んで、彼の低音ボイスの魅力を堪能してほしい。

通訳　荒木 陽平さん

２０１８年９月

エンゼルス・大谷選手のイッペイさんで脚光を浴びる「通訳」というお仕事。オリックスの外国人投手の通訳を担当されている荒木さんは、常に穏やかな物腰のコミュニケーションのプロである。荒木さんとお話していると居心地がよくて、限られた取材時間があっという間に過ぎてしまった。最近の外国人選手は（昔と違って）優しそうな新世代。彼らの活躍を精神面で支えているのは、荒木さんの静かで心地よいフォローなのである。通訳の仕事は言葉を伝えるだけではない。

――プロ野球チームの通訳という仕事に至るまでの経緯を、教えていただけますか？

高校（広島県・広陵高校）まで野球をやっていましたが、立花龍司さん（＊）の活躍で脚光を浴びていた「トレーニングコーチ」になりたいなと思いまして。野球に関わる仕事に就きたいと、卒業後、１９９９年にアメリカの大学に留学して、資格を取りました。帰国して東京で３年ほどアマチュアのトレーニングコーチをしていたのですが、プロ野球界に入りたいと思って12球団に履歴書を送ったところ、楽天イーグルスから「通訳」を探しているというお話をいただき、採用されたんです。

＊立花龍司
近鉄・ロッテで日本初のコンディショニングコーチとして活躍後、1997〜2000年にメジャーリーグのコーチとしてニューヨーク・メッツで指導した実績を持つ、日本における合理的トレーニング理論の先駆者。近鉄時代、最新のトレーニングに反発する指導者もいる中、後にメジャーリーグで大成功を収める野茂英雄と築いた信頼関係は有名である。

——当時の楽天の外国人選手といいますと？

2008年から2011年まで楽天にいたのですが、フェルナンデス、ラズナー、セギノール、リンデン、ルイーズといった選手たちですね。個性的な選手も多く、い

荒木　陽平（あらき　ようへい）
1980年生
広陵高校〜 California State University, Northridge
2008-2011 東北楽天　通訳〜 2012年からオリックス　球団本部
国際渉外部通訳

ろいろな経験をさせていただきました。

――２０１２年にオリックスに移られたわけですが、投手担当の通訳なんですね？

１年目はファームでの通訳をしましたが、２年目からは一軍の投手担当です。藤田チーフ通訳がおられますので、野手はお任せしています。

――具体的に通訳というのは、どのあたりまで選手をフォローするものなんですか？

仕事は24時間だと思っています。彼らが日本にいる間は、いつ電話がかかってきても対応できるように気を張っていますね。例えば、彼らの子どもが病気になったときなど救急の病院を探したり……そういうケースはそれほど頻繁ではありませんけど。

――当初の目標であったトレーニングコーチとは異なるお仕事ですが、そのあたりは？

野球界に入るステップだと思い、通訳から始めたんですが、やってみて面白いなあと思って。かれこれ10年ほど通訳をやっています。楽しいですよ（笑）。もともと裏方でいたいと思うタイプなので、選手を支える仕事はやりがいがあります。

――いちばんやりがいを感じるのは、どういうときですか？

選手が怪我せず健康でいてくれるだけで、うれしいです。もちろん活躍すれば、もっとうれしいですけどね。

――ときにはアドバイスなども？

アドバイスはしないです。聞き役に徹していますね。外国人選手は仕事の愚痴を家庭に持って帰りませんから、僕が聞いて味方になってあげないといけないと思っています。もちろん、わがままには「それは、わがままだ」と伝えることもあります。

――お立ち台に上ることも結構あります。あの場所での通訳で気をつけていることはありますか？

お客さんが間延びしないように、テンポよくを心がけています。

――成功する外国人選手の特徴のようなものはありますか？

まず日本食が好きなこと（笑）。そして、人がリスペクトしあう日本文化が好きなことです。日本での生活が楽しめなくて、自分のことだけを主張するような選手は長続きしませんね。オリックスの外国人選手はナイスガイばかりで、本当に日本での生活を楽しんでいますよ。彼らには感心することばかりですね。

――スタンドから見ていても、今どきの外国人選手はずいぶん昔と変わってきているように思います。

時代の変化……かもしれませんね。アメリカでも日本の「ゆとり教育」じゃないですが、怒らない、人を攻撃しない、人の心を傷つけない教育が主流になりつつあります。その辺の影響が今の選手たちにあるんじゃないかと思いますね。今はもう「オラオラ系」はいませんね（笑）。

――英語力は最初からお持ちでしたか？野球英語には独特なものがあると思いますが？

高校のころは全然でしたね（笑）。留学中に、それこそかつてないほど勉強しました。勉強しないと卒業できませんから。野球英語には最初は苦労しましたが、選手たちとの会話で習得していきましたね。

――スペイン語圏の選手もいますが？

彼らはマイナーリーグで英語教育をそれなりに受けているので、まあなんとかなるんですが、使う言葉が異なる場合がありますね。

――通訳というお仕事をされる上で、一番大切にされていることを教えてください。

相手をリスペクトするということです。自分から敬意を示さないと、相手から敬意はもらえません。誠意を持って接することを、心がけています。その上で距離感を大切にするということですね。距離が近くなり過ぎずに、お互い心地よい関係でいることです。

――最後に、これからのご自身の展望を教えていただけますか？

多くの選手が活躍してくれるように、今までのことを継続していきたいと思います。継続っていちばん大切なことですから。軸をぶらさず、真摯に外国人選手たちに接していきたいです。

――シーズンが終わると、秋は別れの季節でもありますね。

これからの季節はねえ、寂しいんですよ。涙の別れなんかもありますよ。でも3カ月もしたら戻ってくることが決まったりして！あの涙はなんだったんだ？みたいなこともあります（笑）。

――お体に気をつけて、これからも頑張ってください！ありがとうございました。

荒木さんは、笑顔の素敵な「ナイスガイ」であった。この心地よい人柄で、多くの外国人選手と良好な関係を築いているのだろう。とはいえ、その心地よさは決して「技術」ではないと感じた。相手を思いやる気持ちは、彼の心の中にあるものなのだ。ご苦労も多いはずだが、肩に力が入っておられない。だからこそいろんなご縁があって、当初の目標ではないところでご本人が「天職かな?」とまでおっしゃる通訳の仕事に導かれたのであろう。オリックスの外国人選手の活躍の陰には、こういう方の存在が欠かせないのである。

広報担当　佐藤　達也さん

2019年1月

2018年オフ、突然の引退で我々を驚かせた「八回のサトタツ」こと佐藤達也さん。なんとその佐藤さんが球団職員となり、取材の窓口であった仁藤さんに代わって広報を担当されるということで（ニトー～サトーの継投リレー！）さっそくご挨拶に伺った。2年連続最優秀中継ぎ投手など輝かしい実績にも関わらず、腰が低くて笑顔が素敵な、佐藤さん。番記者の方はよくご存じかと思うが、佐藤さんからの連絡は、電話でもメールでもラインでも、本当に丁寧できちんとしているのだ。その人間的魅力で広報としての成功も間違いない。そんなサトタツさんは背番号15で知られるが、実は入団時25だったのを新外国人のイ・デホに譲っている。背番号フェチとしてそこのところを聞いたら、家に幻の25ユニフォームをお持ちだとか。……欲しい。

――突然の引退報道には驚きました。決意なさったのはいつごろなんですか？

最終的に決心したのは、発表の日（前年10月29日）でしたね。

――やはり……悩まれたんですね。現役に未練はなかったんですか？

キャンプで怪我をしたり、球団には迷惑をかけてきましたし。うーん、いろいろ考えましたが、「(球団職員として)これからも一緒に頑張ろう」というお話をいただき、決心しました。

――もう練習をしないでいい、というのはどんな感じですか？「練習の虫」で有名でしたけど。

いいえ、練習は普通ですよ、普通(笑)。でも、もう野球をしないでいいというのは、やはり変な感じですかね。こうして選手時代のように球団の施設に体を運んできているのに……。

――社会人野球も経験しておられますし、フロントとしての仕事には違和感なく入っ

佐藤　達也（さとう　たつや）

1986年生　大宮武蔵野高校～東海大北海道～Honda～オリックス
2019年から球団広報

ていけそうですか？

いえいえ。ホンダ時代はデスクワークではなかったですし。まだ本当にイメージも何も、実感が湧きません。覚えることがいっぱいで大変です。

——ホンダを経て、2011年にオリックスにドラフト3位で指名されました。プロ志向は強かったんですか？

プロになれたらなあ、と思うことはありましたが、プロ野球選手になれたこと自体に現実感がなかったです（笑）。

——そして2013年の途中からセットアッパーとして頭角を現します。

怪我人が出たり、チーム事情もありまして、まだ経験のない僕が抜擢されたんですが、最初は「僕なんかでいいのかな？」と緊張してしまいました。でも、だんだん開き直って、腕をしっかり振って投げられるようになってきました。

——そこからは素晴らしい活躍でした。マウンド上でスイッチが入る瞬間ってありますよね？

どうなんでしょうね（笑）。自分ではわからないですが、学生時代から「ピンチで顔が変わる」とはよく言われてましたね。

──佐藤さんといえば「腕まくり」のノースリーブがトレードマークでしたが、あれはいつから？

袖が気になって投げにくいな、と思ってノースリーブのアンダーシャツにしたら、それから結果が出まして。周りからも言われるし、ゲン担ぎもあって、ずっとあのスタイルだったんです。

──選手として一番印象に残っているのは？

（優勝を逃した）２０１４年のソフトバンクとの最終戦ですね。でも一番嬉しかったのが、その年にチームで達成した「七回終了時点でリードしている試合は１００連勝」という記録です。当時のブルペン（馬原投手、平野佳投手、比嘉投手、岸田投手ら）で成し遂げたすごい記録の中に、僕がいれたということが嬉しかったです。

──当時のブルペンはどんな雰囲気でしたか？

一体感があって、みんな普段でも仲が良かったですね。いい雰囲気でしたよ。

──ファン感謝デーでの引退セレモニーでは、平野佳寿さんの温かいビデオレターもありましたね。

あれは本当に知らなかったので……ちょっと泣きそうになりました。嬉しかったですねえ。

――今年からは広報という形でチームに関わっていくわけですが、思うところなどはありますか？

グラウンドに出たらまだまだファンの方から「サトタツ！」と声をかけられそうですけど。

僕が前に出たらいけないので（笑）、しっかり若い選手をアピールしていきたいです。選手時代は優勝を経験できませんでしたので、立場は変わりますが、愛着のあるこのチームで「優勝」を経験したいです！

――ありがとうございました。これからも応援しています。というか、よろしくお願いします！

こちらこそ、よろしくお願いします。

佐藤さんはウワサ通りの「いい人」であった。マウンドでの鬼の形相と、普段のギャップが、魅力である。現役を通して一番嬉しかったのが、個人的なことでなく「2014年ブルペンの一員であれたこと」というのが、実に「人となり」を表している。環境の変化にまだまだ「実感がない」とおっしゃっておられたが、マウンドと同じように「スイッチが入れば」見事に広報のお仕事を成し遂げることは間違いない。インタビューした日は、この後「Bsキャッチフレーズ発表イベント」が行われ、ピシッとしたスーツ姿で仕事をこなしておられた。

二軍投手コーチ　岸田 護さん　2019年11月

オリックス一筋14年で現役を引退し、二軍投手コーチ就任が決まったばかりの我らがマモさん・岸田護さんに、11月の秋季練習中の舞洲でインタビュー。当たり前だがまだ現役感が強過ぎてとてもコーチには見えない岸田さんにコーチ就任の抱負などを伺うことができた。「これからです」とくり返しておられたが、その温かい人柄と経験値で必ずや優れた指導者になられるであろう。実は（最後まで行使しないまま）引退した2019年いっぱい「FAの権利を持っていました！」という岸田さんのオリックス愛は半端ないから！

——今シーズン最終戦は、感動的な引退試合でした。いかがでしたか？

特別な緊張はありましたね。ああいうことを味わえるということは、なかなかないですから。ありがたいことです。

——九回裏、最後のマウンドに立ったときのお気持ちは？

ああ、これで最後なんだなあ～と。楽しもうという気持ちの一方で、いろいろな思いやいろいろな方の顔が浮かんできました。

――球場には金子さんや伊藤さんなど、懐かしい顔も集まりました。あの後、お会いになりましたか?

ご飯に行きましたよ。

――14年間の現役生活で特に印象的なシーンなどありますか?

よく聞かれますけど、いっぱいありすぎて……10勝した年（2009年）も怪我で2カ月離脱したり、いろいろありましたね。

――優勝できなかったというのは、やはり悔いが残りますか?

優勝はしたかったです。そういう意味では、一番優勝に近づいた年（2014年）

岸田　護（きしだ　まもる）

1981 年生　履正社高校～東北福祉大学～ NTT 西日本～オリックス
2020 年から二軍投手コーチ

が印象に残っているかな。

――投手として、故障さえなければなというお気持ちはありますか？

アスリートにはついて回ることですが、歯がゆさはあります。引退を決意したのも故障が原因ですから。

――コーチのオファーがあったときは、すぐに頭が切り替わりましたか？

つい先月まで現役の選手だったわけですからね（笑）。なかなかすぐにというわけには……表舞台から立場が変わるわけですから。

――秋季練習では、選手とはどういう感じで接しておられるんですか？

急に１８０度変わることはないですよ（笑）。こちらは今までの延長のつもりですが、選手の方が気を使っているかもしれませんね。

――二軍には元気のいい若手が揃っています。自分たちの時代と比べてギャップみたいなものは感じますか？

ないです。いつの時代でも若い子なんて一緒でしょ（笑）。無理やり、ああだこうだ言っても聞かないしね。僕らもそうでしたもん。

――もう練習しないでいいということに違和感ありますか？

そりゃ、体を動かしたくなりますよ（笑）。この前まで現役だったんですからね。

――どういうコーチになろうというイメージはおありですか？

まだまだこれからですが。技術面でもメンタル面でも、その子がよくなること、いい方向に向かうことを言ってあげたいですね。みんなポテンシャル持ってプロに入ってきてるわけですから、全てを教えようとかは思っていないです。それぞれ違いますし、経験積んでチャンスを掴んでいくのは本人の力ですから。つまずいているときに何を言って修正してあげられるか？でしょうね。

――先発もリリーフも経験されておられますから、そのあたりの気持ちの持っていき方も指導に活かせますね。

先発とリリーフでは、組み立てや感情面が全く違いますからね。でも、気持ちというものも個々に違いますからねえ。

――今年のドラフトは育成中心のチーム方向が色濃かったです。特に高卒の選手などにとっては

コーチの指導が全てのような気がしますが？

にならないように！自分で考えられる選手になってもらいたいです。自分で気づく子に導いてあげたいですね。

――最後に、新コーチとして岸田さんの来年の抱負をお聞かせください。

一人でも活躍できる子が増えるよう、見守ってあげたい、支えてあげられたらな、理解してあげられたらなと思っています。これからも野球に携われるわけですから、目一杯がんばりたいです。

――ありがとうございました。これからもオリックス一筋でよろしくお願いします！

指導者というより、まだブルペンで投げていそうな印象が強い、岸田さん。未体験のコーチ業に立ち向かう眼差しも真剣そのものであった。なんといっても、あれだけの引退セレモニーを現在や過去のチームメート、満員のファンに祝ってもらえる、人格者である。その人柄と経験値で必ずや優れた指導者になられることを確信している。オリックス愛を貫いた彼の野球人生「第二章」は、始まったばかりである。

憧れの選手にインタビュー!

安達 了一選手

2016年10月

2016年シーズンオフ、神戸での秋季練習後に安達選手にインタビュー。この年のはじめ、難病である潰瘍性大腸炎を発症した安達選手は、序盤出遅れながらも鉄壁の守備はもちろん打撃の方でもキャリアハイの打率2割7分3厘をマークし、7月にはリーグ最高打率3割8分で月間MVPを受賞。そして現在に至るまでこの病気と付き合いながら、立派にチームを引っ張っている名選手である。終始笑顔の安達選手からは難病を抱えた悲壮感は伝わってこなかったが、裏の苦労はいかばかりであろうか。秋季練習を一般公開することを発案するなどファン思いの安達選手は、インタビュー後、即席サイン会を行っていた。

——お忙しい中、ありがとうございます。練習見学会、大盛況ですねえ。安達さんが発案されたと聞きましたが？

神戸のファンの方に喜んでいただけるかなあと、自分とT（T—岡田選手）で考えたんです。

——シーズン終盤、T—岡田選手とのお立ち台シーンはファンも盛り上がりました。仲いいですよね。

同級生ということもありますし。自分たちがチームを引っ張っていかなくちゃと、いつも二人で話しています。

――密度の濃い活躍が光った、今シーズンでした。ご自身ではどんな印象ですか？

最初は病気で出遅れて……ここまでできると自分でも思っていなかったですからね。ほんと野球やめなくちゃいけないのかな、と思ったくらいなんですが、なんとかやり切れたなと。

――突然の発症でした。どんな思いでシーズンを過ごされましたか？

まさか自分が、と思ったんですけど。なったことはしょうがない、という気持ちで

安達　了一（あだち　りょういち）#3
1988年生　内野手　右投・右打
上武大～東芝～オリックス

やっています。今まではある意味、野球ができることは当たり前っていうところがあったんですが、いろいろな方に支えられて野球ができていますからね。野球ができる喜びや感謝を感じるようになりました。

――復帰されたときの「安達、待ってたぞー」の声援はすごかったです。

嬉しかったですね。ファンの支えが、一番です。

――病気を克服しながらの活躍は、野球ファンのみならず多くの人の励みになったと思います。

同じような病気の方から、励ましの手紙などをたくさんもらうんです。そういう人たちのためにも、という気持ちがあります。

――遠征のときなど食事の問題が一番大変なのでは？

そうですね……ナマ物とかダメなものは気をつけてます。焼肉とかは大丈夫です（笑）。

――復帰直後は少しお痩せになってたんで、心配しました。試合中や試合後に疲れが出たりしましたか？

最初の方は少し……最後の方は全然もう、大丈夫でしたね。

――なんといっても安達さんといえばショートの守備です。安達さんの守備を楽しみに観に来る人も多いです。取ってから投げるのがメチャ早くてかっこいいですよね。

そうですか（笑）。自分では全然意識していないんですけど。

――守備は2、3年目あたりに急激にうまくなった印象があるんですが。

森脇さん、真喜志さんらにつきっきりで指導していただきました。練習のくり返しですね。

――西野選手とのコンビネーションは、もうばっちしですか？

最初から全然大丈夫でしたよ。私生活でも仲がいいですし（笑）。

――今年は過去最高打率でしたが、昨年2桁いったホームラン数は減りましたね。打撃スタイルを変えようとしておられるんですか？

ホームランは、もう……狙ってないです（笑）。バットを振り回さないようにしてますね。軽打というか。打順が2番なんで、後ろのバッターにつなげるようにと思ってやってます。その役割が、おもしろいんです。ホームランもたまに打つのはいいんですけど（笑）。

――チームの成績は残念な結果でしたが、雰囲気はどうでしたか? 最後の方はいい感じに見えましたけど。

雰囲気は、良かったです。でも、結果が出ていないですから。そろそろオリックスとしても優勝しないと。(長年優勝から遠ざかっていた) カープも優勝しましたしね。

――個人的に、これから目指していくところはありますか?

僕個人よりもチームの優勝です。優勝争いを、したいです。(チームの雰囲気が) 全然、違うので。楽しんで優勝争いをして、ファンの皆さんに優勝を見てもらいたいです。

――今後のオフのご予定は?

まずは体をゆっくり休めて、ということですね。

――息抜きには、どんなことをされているんですか?

釣りです。ぼーっと (笑) 釣ってますよ。神戸は近くに釣り場もあって、住みやすくて、好きですね。

――体をよく休めていただいて、来年の10月は「試合」を観せてください (笑)。来シーズン、安

達さんの目標は「優勝」ということで大丈夫ですか？

大丈夫ですっ！

安達選手は顔色も良く、とても元気そうだった。嬉しかった。病気の質問にも嫌な顔一つ見せずに語ってくださり、言葉にしきれないいろんな思いも伝わってきた。とにかく、今年の安達選手の活躍は、長く我々の心に残る素晴らしいものだったのである。終始なごやかだったインタビューだったが、T―岡田選手と二人でチームを引っ張っていくんだという安達選手の真剣な意気込みは十分に伝わった。オリックスはこの二人なのだ、と私はいつも思っている。

T―岡田選手

2017年1月

あくまで野球観察者である私は、あまり個人の選手に肩入れすることはないのだが、T―岡田選手だけは特別である。ファンと言っていい。いつもあの「美しい放物線」が見れないかなと球場に足を運んでいるのだ。目の前で何度も素晴らしい瞬間を見せてくれた彼は、私の中ではナンバー・ワンのホームランバッターなのである。そんなT―岡田選手に2017年の新年イベント後に会えた。いつもよりミーハーな私がそこにいる。予想通り「ほんわか」した彼のキャラに癒されるとともに、その丁寧な受け答えに感激した次第である。T―岡田はいつまでもオリックスの顔だ。

――イベント後でお疲れのところ、ありがとうございます。「T」がなくてただの岡田さんだったころから、サブ球場や鳴尾浜で応援してました。

えっ。ほんとですか（笑）。

――最初はなかなか、打球が上がりませんでしたよね。

最初はね～（笑）。当時二軍の打撃コーチだった藤井（康雄）さんに指導してもらって、きっかけをつかんだんです。

――そして、岡田（彰布）監督には鍛えられました。代打満塁本塁打（2010年9月西武戦）もありましたね。

岡田監督が辛抱して使ってくれましたから。あのホームランはただもう、夢中で打ちましたね。まだレギュラーじゃありませんでしたからね。

――去年の終盤は四番に完全に定着して、なんか一皮むけたなあと思って見てたんですが、いかがでした?

そうですね。自分としても、落ち着いてきたかなというか。ほかに打つ人がいなかったといえばそれまでですけど（笑）。でも、もっと安定して成績を残さないとい

T—岡田（岡田　貴弘／おかだ　たかひろ）#55
1988年生　外野手　左投・左打
履正社高〜オリックス
2010年本塁打王、2010年外野手ベストナイン、2014年一塁手ゴールデングラブ賞

けないなと、思っていますね。

――得点圏にランナーがいる場面、打点とホームランどちらを狙いにいってるんですか?

それは……打点ですかね。打点の方を重要視しています。ホームランが打てればそれがもちろん一番いいいんですが、狙いにいって打てるホームランは年間1、2本ですしね。

――そうなんですか。T―岡田さんがホームランを打つと、球場の雰囲気がガラッと変わります。感じておられますか?

自分ではあんまりわかんないんで……

――プレイオフのホームラン(2014年日本ハムとのCSファーストステージ第2戦)では伝わったのでは?

あれは自分でも、打った瞬間、でしたからね(笑)。状況を考えても最高のホームランでしたから、思わず(バットを突き上げる)ポーズも出ましたね。

――あのときも、狙ってはいないんですか?

狙ってないです。あのときはファールで粘ってるうちに、本当にただもう「無心」になれたんです。

あれこれ考えていい結果が出ればいいんですが、今までの経験でそれはあんまりないですね。シンプルに「来た球を打つ」というイメージがいいのかな、と今は思っていますね。

――バッティング・フォームについては、言われて？ 自分で？ いろいろ変遷がありましたが？

両方ですね（笑）。今年は去年とほぼ同じ形で、と思っています。特に昨年の秋季キャンプでの状態がとてもよかったので、それを継続してやっていきたいなあと。

――チームの雰囲気はシーズン最後の方、良くなったように感じましたが？

まあ……でもまだまだ「今日も負けた～」という雰囲気で終わってしまう選手が多かったですね。そこのところの意識を変えないといけないなと、感じています。「なにくそ」という姿勢が、数人の選手からしか感じられませんでしたから。今年はチームとしてその点をなんとかしたい、という気持ちが強いです。

――選手会長になられました。どのようにチームを引っ張るおつもりですか？

細かいことを言ったりしたりするタイプでもないんで。シンプルに結果を残して引っ張っていく、それが一番だと思います。言わなあかんな、ということは言いますけど。結果を残してついてきてもらう、という形がチームにも一番いいと思いますので。

——年上の選手への遠慮はないですか？

そうですね。小谷野さんや中島さんもわかってくれてると思うんで、関係なくいきたいです。

——前のキャプテンの糸井さんて、どんな感じだったんですか？

ちょっとつかみどころなかったですけど（笑）。すごく早く球場に入ってティーを打ってたり、練習に取り組む姿勢が凄い方だったので。それで引っ張っていくというところがありましたので、自分もそこらへんのところは見習っていきたいかなと思います。

——来月からいよいよキャンプインです。どういうところを課題においてらっしゃいますか？

自主トレ・キャンプを通じて1年間戦える体作り、ということです。万全の準備をしたいです。

——ここ最近、チームは開幕ダッシュに失敗していますが……

やられてますよね……今年は6年ぶりのホーム開幕ですし、ファンの方の応援を味方につけてホームアドバンテージを力にしたいと思います。

——オフの大型補強もなく、むしろそういうときの方が……とファンは思ったりもします。

（クライマックスシリーズに進出した）２０１４年もそうだったですしね。それほどには期待していなかった（笑）、ペーニャやヘルマンが引っ張ってくれたり、そういうこともありますからね。

――もちろん四番はT―岡田さんで！とファンは願っています。

そうですね。クリーンアップやセンターラインがしょっちゅう変わるとチームは安定してきませんので。しっかり定着したいと思っています。

――ちなみにレフトとファーストってどちらを守るのが好きですか？選手会長としてはファーストでピッチャーに声をかけるイメージでしょうか？

いやそれは……ショートの安達が声をかけてくれてますし、ファーストの方が、とかいうのはないですね。ただ、守備位置が毎日コロコロ変わるのはやりづらいので、ある程度の期間、同じポジションで固定してほしいなと思います（笑）。

――その安達さんもおっしゃってましたが「二人でチームを引っ張る」という形が見えれば、ファンとしては焦点が定まるというか応援しやすいので、ほんと期待しています！

ここ何年か、それを言われ続けてきているのに、しっかりした結果を残せていません。今年こそは二人がしっかり実績を残さなければ、と思っています。

——先ほどのトークショーではホームランの目標が30本ということでしたが。

数が多いにこしたことはないですが、試合を決めるホームランを打ちたいなと思っています。

——また、印象的な記憶に残るホームランを期待しております。最大の目標は、チームが一番になるということでよろしいですね？

もちろんですっ！

——本日はありがとうございました。

T—岡田選手は、イベント後にもかかわらず、終始丁寧にインタビューに答えてくださった。感激である。笑顔も素敵でしょ？昨シーズンから感じていたのだが、彼もずいぶんと落ち着いてどっしりしてきたなと思う。長期契約を結んでいよいよチームの顔として腹がすわっている雰囲気が漂ってきた。取材後の雑談で「後輩と飯行く方が多いです」とおっしゃっていたとおり、若手からの人望も厚いT—岡田選手。その飾らない人柄でほんわりチームを包みつつ、その桁外れの長打力で対戦相手には牙を剥いていただきたいと願う。

山岡　泰輔投手

２０１７年９月

現在のオリックスの若手投手王国は、山岡投手の出現から始まった。２０１７年、デビュー年のシーズン終盤にインタビュー。この時点で新人王の有力候補だったにも関わらず「興味ないです（笑）」と言い放った山岡投手。21歳（当時）の天才投手はボールも頭の回転数も早く、とにかく正直で自然体。ありきたりでない魅力に溢れたインタビューとなった。取材後、野球していないときはファッションの事しか考えていないと断言した（笑）彼は、実に自分の感覚というものをしっかり持った「新時代のアスリート」である。

――ルーキーながら、大活躍です。現在の成績（９月４日時点で、７勝８敗　防御率３．１３）についてはどう感じておられますか？

まだ、借金ですから。

＊この後、９月９日の楽天戦で勝利投手となり、８勝８敗とした。

――メンタルがとても強い印象を受けますが……？

勝つために一生懸命、黙々と投げている、て感じなんですけどね。

――プロの世界は想像と比べて、どうでしたか？

想像以上に疲れてはいますが、その他の面では、想像通り……ですかね。特に驚くこともなかったし、想像以上のことはなかったです。社会人のときは連投、連投だったんですが、プロでは1週間に1回投げられる準備をすればいいですし。気持ちの面では、社会人の方が大変でした。

――気持ちの切り替えがとても早いな、と感じています。

山岡　泰輔（やまおか　たいすけ）#13→19

1995生　投手　右投・左打

瀬戸内高校～東京ガス～オリックス

負けるときもあるし勝つときもありますからね（笑）。もちろん勝とうと思う気持ちはあるんですけど、全部勝てるわけではないですし。負けても１週間後には違う試合があるんで、深く考えないです。

――西武戦（8月26日）の完封はお見事でした。最後の１４０球目（サインに）首振ってましたが……？

全部の球、投げたいボールを決めて投げているので。あのときは、最後は絶対チェンジアップと決めていました。（三振を）狙って、決まって「よし！」という気持ちになりましたね。

――新人王も見えてきましたが、意識しますか？

そういうの興味ないです（笑）。人が決めることだし。取れればラッキーて感じですかね。

――そ、そうなんですね。マスコミ報道とかあまり気にしないんですか？

スポーツ新聞もあったら見る程度で。野球中継を含めてテレビもあまり見ないですし、野球してるとき以外に野球のことを考えたことないです。「常に野球」って感じが自分にはないんですかね。もちろん、日常生活で手を怪我するようなことはやらない、というような意識はしていますけど。

――休みの日とか、寮の部屋で何してるんですか?

ストレスを溜めないように、リラックスですかね。音楽聞いたり、雑誌見たり、服が好きなんでネットショッピングしたり。大城さんや(同い年の)若月とご飯に行ったり……

――小さいころからの憧れの選手とか、いますか?

いないんですよ～それが(笑)。野球見ないんで(笑)。カープファンでもなかったですね。

――小学生のとき、ソフトボールから始められたんですね。

サッカーなどもやりましたけど、面白くなくてすぐやめて。友達3人でソフトボールに入って、それから野球に変わって、それが得意だったのでずっと続けているという……

――プロ志向はありましたか?

野球をしてる以上プロが夢、というのはありましたけど、なれるとは思ってなかったです。社会人のときに、やっと意識したかな。

――高校から社会人に進まれたのには理由があるんですか?

レベルアップですね。まっすぐのスピードとキレをもっと磨こうと思って。社会人野球には社員との一体感など、どの野球にもないものがありました。とても成長させてもらいました。

――キレといえば、スライダーでバットをへし折ることがすごく多いです。投手としてそこは快感ですか？

やっぱり、うれしいですけど（笑）、そこにポイントがあるわけではないですよ。とにかく勝てるピッチャーになりたいです。なぜ打てないのかな？と思われるまま、淡々と勝ち数が増えていくという感じのピッチャーがいいですね。

――デビューから数試合、勝てなかったときは苦しかったですか？

いえ。簡単に勝てるとは思ってなかったですし、まだ今年の目標が何勝！とかの選手ではないですから。怪我せずローテーションを守るという目標だけでやっています。1年目だから、それ以外の余計なことは考えないでおこうと。

――ローテーションを守るのは身体の方も大変だと思いますが、ケアには気を使っておられますか？

抜き方と締め方、きちんと考えてやっています。今まで、大きな怪我はしたことがないんで。

――将来のエースとして、自覚はありますか?

いやーまだまだ。でも、チームの軸にはなりたいです。こいつが投げると勝てるというところを見せて、僕の背番号を着ているファンを増やしたいですね。

――プロ野球選手として、ファンにどんなアピールをしていきたいですか?

僕みたいになりたい、という子どもが増えれば一番うれしいですね。野球を知らない子どもにも僕が投げてるのを見て「楽しい」とか「鳥肌が立つ」とか、そういうのを感じてほしいです。それをきっかけに野球を始めてくれたら、最高ですね。

――最後に、野球をやってて、どのようなシーンが一番好きですか?

アウェーでピンチで相手チームやファンがわーっと盛り上がっているときに、自分の一球で静まり返らせてため息に変えさせる、みたいな瞬間ですね(笑)。

――ありがとうございます。それでもやっぱり新人王、期待してます。残りのシーズン、がんばってください。

がんばります!

「ひょっこり」という感じで現れた山岡選手は、目がいたずらっぽく光る、実に魅力的な21歳の若者であった。何事にも明確に自分の感覚というものを持っていて、その言葉はうわずることなく借り物でない。ときどき「くっ」と笑う顔がかわいい。「緩急つけた」受け答えは心地よいテンポで、的確でフレッシュで何よりユニークである。ピッチングと同じだな、と感じた。本当に「胸がすっとする」若者である。こんな逸材がオリックスにいることが幸福だ。今後もクールな彼の投球に期待したい。彼には、なんだかすごいことをやらかしてくれる「予感」が漂っているのである。

スペシャルインタビュー

マック鈴木さん

2016年8月

インタビューの指定場所は、なぜか真夏の須磨海岸。約束の時間きっかりに、真っ黒に日焼けした「山」のようにごっつい男がマウンテンバイクで「スーッ」と登場。ピンクの短パンに、オシャレなシャツ。どう見ても、地元のお兄さん……がしかし。ニコッと笑った白い歯から常人とは全く違うオーラを発している、そのお方こそ！右腕一本でまさに世界中を「漂流」した剛腕投手・マック鈴木さん。紹介するまでもないとは思うが、念のため略歴を参照いただきたい。マックさんがいなければ、野茂英雄さんやその後の日本人選手のＭＬＢでの活躍などなかったかもしれない。まさに、パイオニアなのである。

マックさんの提案で、インタビュー場所はなんと「海の家」。地元ビーチでリラックスした様子のマックさんは、さすがに目立つ（周囲の若者はチラチラ見るが、残念ながら世代的にマックさんを知らない）。ビーチサイドの、のんびりした空気の中。インタビューというより、カジュアルな野球雑談で感じで話はどんどん進み、かなーりの長時間、至福の時を過ごさせていただくこととなる。

雑談ゆえ、話はとりとめなくあちこちへ飛ぶが、できるだけ雰囲気重視で、マックさんの言葉を記していきたい。日本人的な「予定調和」という言葉とは無縁のマックさんの真実を、少しでもお伝えできれば幸いである。合わせてマックさんの著書「漂流者」（三交社）を読まないと諸事情は伝わりにくいとは思うので、ぜひ御一読をおすすめする。話の興が乗った後半は「そのまま書かないでくださいよ。編集してくださいね」というエピソードばかりで、そこが書けない。無念である。では、とにかくマック鈴木ワールドをお楽しみください。かき氷か、大盛り焼きそばでも食べながら、どうぞ。

マック鈴木（鈴木　誠／すずき　まこと）

1975年生

16歳で単身渡米。マイナーリーグで投手として頭角を現し、1993年、史上初めて日本のプロ野球を経験せずにMLB（シアトル・マリナーズ）と契約。1998年メジャー初勝利。その後、ロイヤルズ～ロッキーズ～ブリュワーズと渡り歩き、メジャー通算16勝。2003年帰国してオリックスに3年在籍後、メキシコ、ベネズエラ、ドミニカ、台湾などでプレイ。2011年からは日本に腰を落ち着け、独立リーグ監督（2011年）、野球解説などテレビ出演、ジムのトレーナー、少年野球指導など多方面で活躍中。

――マックさんのブログ「まっく すてっぷ じゃんぷ」拝見させていただいてます。ほぼ子育て日記ですね。1歳の息子さんにも将来、野球をさせたいですか？

うーん。自分と同じ環境が作れるかわかんないじゃないですか。嫁（クワバタオハラの小原正子さん）の方針もあるし。神戸に帰ってきた理由は、子ども育てるのに海とか山とか、環境が良いってことで。その流れで息子が野球するんであればいいですね。でも勉強とか入ってくるとねえ。子どもの能力って、ほぼお母さんのＤＮＡらしいですよ。嫁は運動神経ないんで（笑）。体だけは大きくなるやろから、それで期待ばっかりされてもかわいそうやしね。自分の弟がそうやったんです。

――マックさんの才能は、天性のものですか？

気付いたときには、運動はなんでもできてましたね。親のおかげ。野球だけやなくて、空手、水泳とかなんでもやらせてくれました。海で遊んだり、土日は親父が必ず相手してくれたし。親父は本当は僕を格闘家にさせたかったんです。

――む、むちゃ強いでしょうね。で。16歳で高校（滝川第二）をやめてアメリカに。単身行かせたお父様の決断はすごいですね。

ちょっと、＊＊＊ありまして。単に力試しが好きだったのかな～（笑）。確かに親父の決断はすごいと思います。自分の子どもを単身アメリカに行かせるか？と言われると、無理ですね。嫁が特に。

――その時、マックさん自身の意見は聞いてもらえず、でしたか？

そんなことを子どもに聞くから、今どきは甘い子ができるんです（笑）。家で飯食わせてる以上、（退学になるような）あかんことした子どもの意見なんか聞いてるようじゃあ、その家が間違ってるでしょ？ そんな子の意見が親に通るような家庭やったら、自分はここでインタビュー受けてるような人間にはなってないと思います。親父はすごいなと思いますよ。

――16歳のやんちゃな少年がいきなり、アメリカ（カリフォルニア州サリナス）へ。言葉の問題は？

例えば相撲部屋やったら、どこの国から来ても日本語覚えるじゃないですか。それと一緒ですよ。通訳なしでやってたら、英語なんて覚えますね。僕は通訳なしでやれたから、いろいろその後の人生でも、野球でつながりが作れましたし。英語がしゃべれることが、今となってはすごい財産ですね。（海岸で猿みたいに騒いでいる少年少女をチラッと見て）この子らの気持ちがわからんのですわ。僕はこんなふうに遊ぶこともなく、いきなりマイナーリーグの洗濯係ですからね。アメリカのスケールの大きい世界に触れながらね。そういうところ、自分の子どもに真似してほしいけど。僕が準備してあげて、というのは違うし。自分の力で、違う景色を見てほしい。英語はその点で武器になるので。まだ1歳ちょいですが、家で息子にはある程度、英語を教えるようにしてます。

——洗濯係からチャンスをものにして、メジャーへ。やはりアメリカはチャンスの国ですか？

僕の場合は、たまたまチャンスをもらったので。チャンスを与えられずに、能力はあっても芽が出ない選手もいますよ。特にアメリカは選手の数が多すぎて、チャンスがあるか、タイミングが合うかとなってくると……運という面はあります。

——マイナーとメジャーの差をマックさんほど感じられた方もいないと思いますが。

メジャーの選手はまず、人格が違います。お金も地位もあって注目されると、その人の生き方が変わってきます。インタビューのされ方、ファンとの接し方も紳士だし、社会貢献もして落ち着いた人が多いです。そういう人と、付き合いましたね。マイナーは足の引っ張り合いもあるし……意識の低い選手とは友達になりませんでしたよ。

——著書「漂流者」で、すでにメジャー昇格時に肩を壊していたと知りました。8勝したロイヤルズ（2003年）のときなんか、中継見ててとてもそうとは見えなかったです。

19歳で肩を壊してから、それ以来まったくいい球が放れないもどかしさで、こんなんちゃう、こんなんちゃう、とめちゃ悩みました。まあでも、メジャーのマウンドに立ててるだけで幸せと思わないとやってられないなあと。もう肩は元に戻らない。戻す作業を進めてる間に他のやつにどんどん抜かれるしね。球団が僕を残してくれてる間に、ある程度のピッチングができるようにしようと。しょうがなく模索しながら、投げていました。

――メジャー時代の最高の瞬間と言いますと？

ボルティモア戦の完封かなあ。でもね。それを何回も軽くやるのが、野茂さんじゃないですか。能力では負けてないのに、というもどかしさは常にありました。野茂さんは「マック、お前の能力は自分よりすごい」と言ってくれたけど、すごい成績を残すのは野茂さんの方じゃないですか。持っている才能を握ったまま、離さずに戦い続けれる選手と、握ったものを離してしまう選手がいて……自分の場合は、怪我が原因なんですけどね。

――コーチのアドバイスは重要でしょうか？

コーチがいなくてもできてる時期もある。怪我して頼りたくなる時もある。８勝した年のロイヤルズのピッチングコーチ（ブレント・ストローム）は、いいアドバイスをくれました。自分も悩んだ末にアドバイスを聞く気になってたんで、うまい具合につながりました。タイミングが狂えば、そのコーチの言うこと聞いてないしね。すべては運。運がなければメジャーで８勝もできてません。ロイヤルズは若い選手が多かったから、コーチの指導がしっかりしてましたよ。マリナーズ時代はスーパースター（グリフィ、マルチネス……）ばかりだったので、彼らは練習しないんですよ（笑）。

でも、結果は出すので。そのレベルにない周囲の選手に悪影響があるんです。まあでも、コーチが何言っても、やるのは自分ですから。

——かえすがえすも、肩さえ壊してなければと、ファンとしては思います。

でも。肩がずっと元気でメジャーで大金稼いでたとしたら、人間的にどうなったかわからないですよ。確実に人生なめてたと思います（笑）。今みたいに子どもに野球も教えてないんじゃないですか？ 教えるとしても、成功例だけを子どもに言うてると思うんですよ。なんででけへんのや？と。成功してる子は野球教室に来ないんです。失敗したり上手くなりたい子が来るわけで、その子らの気持ちを少しでも楽にできるのは、自分に怪我や成績のアップダウンが激しかった経験があったからこそ、と思うんです。

——日本の二軍暮らしも経験されましたが、志なかばで活躍できずに消えていく選手も多いです。プロアマ問わず、マックさんのように長く野球に携わるためにはどうしたらいいですかね？

まずプロ野球ですが、シーズン以外の給料渡したらダメですね。半年分だけ渡して、後の半年は自分でやれ、て言うたらみんな違う仕事しますから。自然とセカンドキャリアを覚えますよね。18歳の子が契約金何千万も貰って、給料も高い。与えすぎる。いい車乗って、いい時計して、パチンコして……。それには終わりが来ないと思ってる。国産車乗ってた僕に、他の二軍選手は「マックさん、なんでですか？」ですわ。でもね、成績出ないと、突然「ぽい」の世界ですよ。そしたら彼らは何もできない。マイナーリーグと日本の二軍では待遇が違い過ぎて、現実が見えてないですね。

プロじゃない場合は、野球以外の仕事もしなしゃあないし、それはいいんだけど。でも例えば独立リーグで何年もやってたら、大金を稼ぐチャンスからはどんどん遠ざかるわけじゃないですか。やりたいことと今やってることの差が広がっていきますよね。難しいです。僕が考えてるのは、野球教室に通ってる子が僕に英語を学べば通訳の仕事もあるかもしれない、とかね。生き方が増えるでしょ。野球だけやって、終わる日が18歳か22歳かわからないけど、そこから先の人生を考えていかないと。

——オリックス退団後は、それこそ「カバンひとつで」いろんな国へ。

3年間保証されてるところから、3日後の自分がわからない立場ですから（笑）。でも、結構な給料での（日本の）二軍暮らしにも「なんだかなあ」って気持ちあったから、これやこれ！って感じで、異国のその日暮らしも実は楽しかったですね。肌に合ったのは、メキシコ。人が優しいしね。ええ加減やけど、それがいいですね。アメリカと陸続きやという安心感もあるかな。どこの国でも住めるのが強みなんです。どの国にも友達いるしね。

——今、野球教室で子どもたちを指導しておられます。直接、教えてみていかがですか？

面白いです。いま6歳の子が最年少なんですが、その子が高校野球出るのが目標とすれば、10年は関わるわけじゃないですか。こっちもしっかりしないといけないし、成長していかないと彼の変化に対応できないですしね。ただ週に1時間野球だけ教えて「また今度なー」っていうわけではないですから。子どもらの目標を僕も彼らと追いかけるという、ね。

――マックさんの野球教室で、子ども達にどう成長してほしいですか？

うちの教室に来てくれてる子は、珍しく学習塾にはほとんど行ってないんです。それなりの目標は立ててあげないと、と思っています。教室に来た当初は人の目を見て話せなかった子が、ちゃんと目を見て話せるようになったとか、学校の成績も上がりました、とか聞くとうれしいですね。そっちの方が大事でしょ？プロ野球選手になる確率は低いけど、野球を通じて子どもの生活態度を変えてあげれる可能性は高い。ご両親にも受講料払ってよかったなと思ってほしいんです。今後はそこに英語教室も入れていきたい。10年後に少なくともその子は、英語が話せるんですよ。野球がダメだったとしても。

野球から読解力と観察力を身に付けてもらいたいんです。そしたら、勉強もできるはず。人の言うことの1を聞けば10を知る子になってほしい。野球やってるときでさえ注意力散漫な子もいるから。試合の2時間3時間どころか、目の前のことに集中できない子もいるんです。そんな状態で監督・コーチが頭ごなしに何言ってもダメでしょ。まず話聞ける子になってほしいと思ってます。

話が聞けない子にはね、「俺とお前入れ替わろ」と言うんです。「お前が話してるとき、俺がまったく聞いてなかったらどうや？」「いやや」「そやろ！そんなら、やめてくれ」とね。お前がいつまでも野球うまくなれへんかったら、ご両親お金出してくれへんようになるやろ？教室やめなあかんやん。そしたら俺とお前、もう会われへんやん。だから集中してくれよっ、て言えばわかってくれますよ。困るんが、そんな話してたら親がネット越しに自分の子を叱るんですわ（笑）。親は自分が恥かいてると思って怒るんですよ。それやったら子どもをそういう風に教育した親が……ていう話でしょ。

――マックさんから見ると日本の子どもというか日本人は……？

パーソナルスペースが違いますよね。（隣接テーブルで騒いでいる少年グループを見ながら）店すいてるのに、わざわざ人の真横に座ってくるとか、ありえないでしょ（笑）。観察力がないから、周囲が見えてなくて危険察知能力もない。僕なんか、アメリカで怖い目にあったことないですよ。喧嘩はしたけど（笑）。英語だけ話せてもあかん。そういうことって子どもにどこかで誰かが教えないと、と思います。大事でしょ。生きてく上で。

――日本にいて、ご自分が異邦人みたいに感じることがあるんですか？

ストレスは感じますね。僕、もともと、はっきりもの言うんで外国人やなあと言われてたんです。

それは親父の教育で、あかんもんはあかん言いなさいと。高校で期待されて投げさせられ過ぎて、ひじが張ったんです。そのときにはっきり監督にそう言うと、3週間干されましたからね。アメリカ行ったから?って言われるけど、はっきりもの言うのは、もともとで。

——最後に、マックさんの今後ということになりますと?

もちろん、野球教室の仕事にやり甲斐を感じているので、しっかりやっていきたいです。日本はいろんな面で暮らしやすいんですけど、子どものこと考えたら将来的に住む国としてはアメリカかなあ。グリーンカードあるしね。具体的にはルーキーリーグのコーチとか。遠征ないし、昼には仕事終わりますから。そんな余生もいいかな~と(笑)。いずれにせよ、選択肢が二つあることはありがたいです。

——お忙しい中、ありがとうございました!

……と、終わりかけたものの、もうすこし質問。

——オリックスファンの私としてはどうしても、ダイエー「1—29」事件(*)など2003年あたりのことを聞きたいんですが。

＊2003年8月1日、オリックス1―29ダイエーの試合。先発投手はマック鈴木。

あの試合ねえ……僕が九回投げたら10点で収まったはず（笑）。まあ、僕がいたころのチームの雰囲気は暗かったですね。外から入ってきた僕と山﨑武司さんがおらんかったら、もっと真っ暗だったでしょう。最後の3年目のシーズン前、あるコーチの言うこと聞かずに「下で調整しときます」て言うて二軍行ったら、そのままずっと二軍でした（笑）。

二軍時代はねえ、地方球場から宿舎まで10キロくらいの道のりを岩さん（投手仲間の岩下修一さん）と旅番組的に歩いたりね。楽しかったですよ。自然の中で、鯉とかおるんですよ。シーズン中も、後輩とつるんでねえ（笑）、うん。なんか楽しかったなあ。でもその3年目はさすがにもう、アメリカに帰る気でいましたね。僕の場合、アメリカに帰ればええわという感覚なんですよ。家もあるしね。

ここから具体的な質問をしすぎて抱腹絶倒の雑談が続く。残念ながら、個人名連発で、これ以上はキッパリ書けない内容ばかりである。マックさんは、こちらが喜びそうな話題を次々に繰り出してくれる、頭のいい優しい方なのである。私の脳内では、すっかりあの歴史から葬り去られた「石毛～レオン～伊原時代」の斜め背番号ブルーウェーブ（ユニフォーム復刻希望！）の、愛すべきとほほな記憶が止まらなくなっている。あぁブラウン、オーティズのエラー博物館……我慢できないので、ザッピングで雑談の一部をどうぞ。「茶髪やなくて金髪ですけど……」「名古屋から出れなくしたろか……」「マック、アカサカ……」「タクシーで18万……」「昼の1時過ぎには須磨海岸で……」「乱闘の最中にバット磨いてる奴が……」。わけわかりませんね。マックさんの登板日はなぜか？乱闘騒ぎが多くて、特にそこらへんの具体的描写になると俄然活き活きするマックさんの姿に、大いに笑わせていただいた。

はっきりものを言うので誤解され続けてきたという、マックさん。例えば取材されて「ドミニカ行ったら大谷クラスの球を投げる少年がたくさんいますよ」と言えば、「大谷レベルの投手は掃いて捨てるほどいる」（2012年12月1日スポニチ）と書かれてしまうといった具合。「掃いて捨てるなんて、言うてへんし。もうええわ〜ほんま」と言うマックさんのイタズラっぽい笑顔のスケールの大きさに比べたら、日本の揚げ足取り文化のなんと貧困なことか。

往年のマウンド上の印象で、ふてぶてしい「ちょっと怖い」印象を持たれがちだが、実際のマックさんは、にっこり笑顔とつぶらな瞳、ゆったりしたリズムの身のこなし、すこぶる速い頭の回転で繰り出すトークが魅力的な、まさにメジャークラスの紳士である。マックさんの魅力は、キラキラした瞳で相手の心に清々しいストレートを投げ込んでくるその正直さ、そして「長いものに巻かれない」合理的な独立精神だ。カテゴリー：外国人選手である。それだけにいろいろと（特に日本社会では）誤解されやすい面もあるのだろうが、マックさんは常に逃げずに、ひょうひょうと、そして堂々と存在している。そのたたずまいが、かっこいいのだ。

とはいえ、類まれなる才能を持ちながら、投手として致命的な肩の故障を抱えた現役時代にさまざまな思いがあったことは、「故障さえなければ……」とおっしゃるときの横顔に、にじみ出る。でも、「だからいろんな人間の気持ちがわかる」とご本人もおっしゃる通り、そんな経験がマックさんの「今」を作り上げているのであり、野球教室を通じて社会に還元されているわけだ。子どもたちやご自分のお子さんの事を語るときの優しい表情に、真実のマックさんが見える。マックさんの本当の優しさを感じるのは、今でも交流があるという、オリックス二軍時代に苦労を共にした後輩たちを語るとき。あるいは同僚だった外国人選手たちとの腹を割った付き合いを語るとき。実に面倒見がいいのだ。自分を俯瞰で見るクールで合理的な一面と、他人への思いやりのあったかい部分が共存しているところが、マックさんのすごいとこ。その上、自力で身につけた英語やスペイン語もペラペラ。そりゃ世界中に友達がいるはずである。マックさんは冗談抜きで「世界中どこでも生きていける人」なのだ。

マック鈴木さん、須磨の海の家での素晴らしい時間を、ありがとうございました。

おわりに

京セラドームで喜びを爆発させて胴上げを行っているオリックスの選手たちを、「ひえぇ」と言いながら、ただただ唖然として見ていました。この本の編集が大詰めの2021年10月27日（水）、オリックスがパ・リーグ優勝を決めたのです。シーズン当初、誰がこのような結末を予想できたでしょうか？

残念ながら試合に勝っての優勝決定ではないし、無観客の球場で全員マスクで胴上げというシュールな光景です。にしても、グリーンスタジアム神戸でイチローが左翼線を破って決めた前回のリーグ優勝を目撃してから、25年ぶり。「なんかもっと、わかりやすい感情が湧かへんのか？自分？」と自らに激しく問うたのですが、「どうしたらいいのかわからない」というのがその瞬間の正直な気持ちでした。あまりにも遠ざかったものには、不感症になるのでしょうか。

あろうことか、すぐにかかってきたとある新聞の取材電話に「胴上げ、ヘタやな」とか答えてしまいました。もちろん翌日の紙面ではその部分はカットされていましたが。

でも、時間が経つにつれ、幾多の苦難を乗り越えて優勝を勝ち取った選手たち一人ひとりのハジける姿（こんなときに病欠という紅林くんのおとぼけぶり！）、控え選手やブルペン、悔しさを共有しているベテラン選手たちのまさに「感無量」な表情を見ていると、どんどんじわじわ私の顔もほころんできました。

そして、感じたのです。このチームに常にまとわりついてきた「ブレーブス」や「ブルーウェーブ」「近鉄」の残像が、自分の心から「ぱあっ」と消えていくのを。オリックス・バファローズはオリックス・バファローズでしかない！当たり前やけど。シーズン終盤まさに一体となっていた選手たちの喜びを見ていると、そう思いました。「全員で勝つ！」を実現した素晴らしいチームが、ただ目の前にいるだけです。

そのとき。チーム広報・仁藤さんの上ずった声がカメラに入り込んで聞こえました。じーん、としました。インタビュー時「チームの一員として優勝したい」と語っていた彼の夢が、とうとう叶ったのですから。彼の野球人生にまぶしい光が当たった瞬間でもあるのです。インタビューした方々の、いろんな顔が浮かびました。皆さん必ず今後の目標や夢に「優勝」の2文字を口にしておられました。優勝は、選手・監督・コーチのみならず、チームを支える方々全員の毎日の仕事が報われた瞬間でもあります。しみじみ「よかったなあ」と思えました。

2021年は特別なシーズンでした。

例年なら、9月最後の神戸開催試合が終わったら私の野球観察ものんびり終了で「はい撤収！また来年！」でした。しかし今年は10月にけっこう、普段はあんまり行かない京セラドームに通いました。中心打者・吉田正尚の2度の離脱をものともせずに優勝争いに絡んでいくチームには、本当に驚かされました。目が離せなくなりました。毎日が「負けたら終わり？」な試合を「がちがち」になりながらも勝ち進みひとつの生命体のように成長していくチームは、予想外の「感動」を私に与えてくれたのです。滅多に使いたくない言葉ですが。

この「あとがき」を書いている時点で、CSあるいは日本シリーズの結果はわかりません。が、自分の本が世に出るタイミングでオリックスが25年ぶりのリーグ優勝を果たしてくれたことには、運命を感じます。この本の物語は25年前から始まっているのですから。そしてまた新たに始まる四半世紀の歴史を観察して記していくのも私の務めかな、と勝手に思ってもいます。あれ？また25年間優勝しないような言い方になってます？

この本を読んでいただき、ありがとうございました。こんなふうに野球を見ている奴がいるのか！とでも感じていただけたら、幸いです。もちろん今後もいろんな野球場で観察を続けます。勝とうが負けようが、消化試合であろうが、ファーム試合であろうが。できれば、屋根のない球場で。心の住所は今後ももちろん「グリーンスタジアム神戸の二階席」です。年間数試合しか公式戦が開催されない上に、この2年間はコロナ対策で二階席が閉鎖ですけどっ！

インタビュー取材に協力いただいた、オリックス球団、オフィスキイワード、マック鈴木さんに深く感謝いたします。そしてこの本を企画して完成に導いていただいたK！SPO編集部の嘉納泉さん、ありがとうございました。加えて、専属カメラマン&専属人間選手名鑑&チケット手配師として私の観察をサポートしてくれているYasutomo（＊）にも、センキューと言っときます。

＊Yasutomo　1990年生　兵庫県立西宮北高～京都外国語大学　投手・捕手
著者の一人息子。必然的にグリーンスタジアム神戸育ちのオリックス信徒。神戸のみならず親子で観戦した試合数は天文学的数字（更新中）。社会人になってからはオリックス選手撮影がライフワーク。唯一の家訓「観戦した試合は（30点差で負けていようが）最後まで見届ける」を忠実に守る。学生時代は野球部で活躍し、それもかつては父親の観察対象。

本書は、スポーツサイト「Rivals Japan」、著者個人ブログ、神戸のスポーツと健康のウェブマガジン「K!SPO（ケースポ）」に掲載したコラムとインタビュー記事を、加筆・修正して編集したものです。
取材協力：オリックス野球クラブ、オフィスキイワード、マック鈴木氏

「南 郁夫の野球観察日記」K!SPO にて連載中

K!SPO KOBE SPORTS & HEALTH

南　郁夫（みなみ　いくお）
1960年生まれ　阪神間育ち　六甲学院高校～甲南大学。神戸市役所職員時代に自身の所属バンドがプロ契約し、ミュージシャンに転身して活躍。契約解消後はテクニカルライターを本業とし、音楽活動と両立させて楽しく暮らす。2001年ごろから趣味の野球観戦の記事をスポーツ・サイトなどで発信。現在は、神戸のスポーツと健康のウェブマガジン「K!SPO（ケースポ）」で野球コラム「野球観察日記」を連載中。

野球観察日記　スタジアムの二階席から

2021年12月1日　初版発行

著　者　　南　郁夫
編　集　　K!SPO編集部　嘉納　泉
発行所　　CAPエンタテインメント
〒654-0113 神戸市須磨区緑ヶ丘1-8-21
TEL 050-3188-1770
http://www.kashino.net
印刷・製本／神戸新聞総合印刷
ISBN 978-4-910274-05-8　Printed in Japan
